La 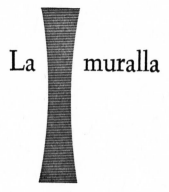 muralla

Joaquín Calvo-Sotelo

Joaquín Calvo-Sotelo

La muralla

Comedia dramática
en dos partes,
dividida cada una
en dos cuadros

Robina E. Henry
McGill University

Enrique Ruiz-Fornells
University of South Carolina

New York

APPLETON-CENTURY-CROFTS

DIVISION OF MEREDITH PUBLISHING COMPANY

Preface

LA MURALLA, one of the most successful Spanish plays since the turn of the century, is well suited for study in intermediate classes which emphasize both linguistic as well as literary aspects of a text and in courses on contemporary Spanish drama. The play's straightforward, rapid action and its delightfully humorous dialogue—provided in large measure by the hero's colorful, poker-playing mother-in-law—give dramatic focus to its serious moral and philosophical problems. The pace and humor also keep the reader's curiosity alive up to its dramatic conclusion; furthermore, the language, which is good, standard, colloquial speech, provides an excellent model of contemporary idioms.

The Introduction attempts to sketch briefly and meaningfully, especially for the student whose knowledge of contemporary Spanish drama is limited, the life and work of Joaquín Calvo-Sotelo. Throughout the text, footnotes interpret expressions that might be linguistically difficult and clarify references to Spanish place names and customs. *Cuestionarios*, conveniently placed at the end of each *cuadro*, are full and detailed. They should prove valuable not only as a means for interpreting the text but also as a basis for conversational practice and for review. The end-vocabulary, which is extensive, lists irregular verb forms separately.

We wish to express our gratitude to Joaquín Calvo-Sotelo for his interest and help in the preparation of this edition, the first of his plays to be published in North America.

R.E.H.
E.R-F.

Contents

Introduction

Calvo-Sotelo's Life

Joaquín Calvo-Sotelo was born March 5, 1905, in the port city of La Coruña in Galicia, the green, fertile region of Spain's northernmost corner. Because of his father's duties as a judge, the family lived successively in Lugo (Galicia) and Zaragoza (Aragón), where Joaquín received his early education at the *Colegio de los Hermanos Maristas*. His father, in order to assure a better future for his children, succeeded in being assigned permanently to Madrid where, as he had hoped, doors began to open in Spain's cultural and political center for Joaquín as well as his two older brothers, José and Leopoldo. There Joaquín finished his studies for the *bachillerato* and at the age of 16, following the family tradition, began the study of law. In 1926, after five years of laborious study, he obtained the degree of *licenciado* from the University of Madrid, and the following year performed brilliantly in the competition for admission to the government's legal staff, the *Cuerpo de Abogados del Estado*.

With his university studies successfully behind him and a government career clearly before him, Calvo-Sotelo could devote more time to two of his keenest interests, travel and theater. The former has held a continual fascination for him. He has always shown an especial fondness for his native Galicia, which he continues to visit when his duties permit, a fondness that is reflected in his theater and notably in his characterization of the Gallegan priest in *La muralla*. Excursions in Spain aroused his interest in travel on a broader scale, and he visited all the countries of Western Europe as well as Poland and Czechoslovakia. In 1937 he went to Chile as a political exile of the

Spanish Civil War.[1] In 1940, shortly after the beginning of World War II, he traveled to Japan, India, and China, and in 1946, shortly after the end of World War II he visited the United States, spending much of his time in New York and Hollywood. In 1955 he returned to Chile to express his appreciation for that country's help to him during his years of exile; at that time he also visited Argentina, Cuba, and Panama.

In spite of years of exile and travel, Calvo-Sotelo has dedicated much of his life, more than thirty years of it, to playwriting. Although the pressures of study at the university left him little time as a student to attend the literary *tertulias* of the time, he did keep pace with the life and work of arbiters of Madrid's intellectual life, notably Ramón del Valle-Inclán, Jacinto Benavente, and Juan Ramón Jiménez. In those early years, again because of lack of time, he confined his writing to journalism and contributed frequently to the weekly *Buen Humor*, as did other authors such as José López Rubio, Enrique Jardiel Poncela, and Miguel Mihura, who have subsequently attained fame in the theater.

Calvo-Sotelo's literary achievements have been recognized by many significant awards. In 1950 he was awarded the Mariano de Cavia prize in the field of journalism for his article, *Hans Sach, el zapatero prodigioso*. For his play *La vida inmóvil* he received the Piquer prize in 1938 from the Real Academia Española de la Lengua, and in 1945 he was honored a second time with the Espinosa Cortina award for *La cárcel infinita*. In the consecutive years 1950 and 1951 he received the National Theatre "Jacinto Benavente" prize for his *La visita que no tocó el timbre* and *Criminal de guerra*. And in 1955 the National Theatre prize was awarded him for *La Muralla*. He is a fellow-member of both the *Real Academia Gallega* and the *Academia de Nobles Letras de Córdoba*, as well as president of the *Primera Federación Internacional de Sociedades de Autores y Compositores*, with headquarters in Paris. On December 15, 1955, he was

[1] Assassination of his brother José, "the leader of the parliamentary opposition, by members of the regular police" on July 13, 1936, was one of the causes for the outbreak of the war which wasted Spain until 1939. *See* Hugh Thomas, *The Spanish Civil War* (New York, Harper & Brothers, London, Eyre & Spottiswoode, Ltd., 1961), p. 125.

elected a member of the prestigious *Real Academia Española de la Lengua*.

Characteristics of Calvo-Sotelo's Theater

Calvo-Sotelo's works comprise thirty-nine full-length plays, a family biography, two books, and two essays. His fondness for the theater dates from his schoolboy days, when at the age of 14 he attempted a play entitled *In fraganti*. Eleven years passed before he began his career as a dramatic author in earnest; during his intervening time he dedicated himself to reading the works of the classicists, particularly Lope de Vega, Tirso de Molina, Calderón, and Molière. His eagerness to know the theater within and without Spain has never abated. Among modern playwrights he prefers Pirandello, Giraudoux, and Benavente, and judges Anouilh to be the most significant of all contemporary dramatists.

He completed his first theatrical work, entitled *Una comedia en tres actos*, in 1930. In 1932 *A la tierra kilómetros 500.000* opened in Barcelona. The first of his plays to be presented in Madrid (1934) was *El rebelde*; in 1936 *Alba sin luz* was performed in Buenos Aires. His success was assured in 1943 with the appearance in Madrid of *Cuando llegue la noche*. From that date on there has been no theatrical season in Spain without at least one of his plays scheduled for performance.

His dramatic output, which is prodigious, may be classified in two groups, the first based on moral, historical, political, or social themes, and the second on those of a lighter or topical nature. In those of the first group Calvo-Sotelo has selected certain important problems of our day and woven plots around them. The best representatives of this group, in addition to *La muralla*, are *Plaza de Oriente* (1947), *Criminal de guerra* (1951), and *El jefe* (1953). *Plaza de Oriente*, one of the author's major successes since the Civil War, presents a series of events in the history of Spain, as witnessed by succeeding generations of a family whose balcony faces Madrid's Palacio Real. *Criminal de guerra* treats objectively the conflict faced by an American soldier in postwar Germany who must choose between military duty and personal loyalty to his German relatives. In *El jefe* a group of escaped prisoners hiding out on a small island find it necessary, if they are to survive, to set up among themselves a system of law and order. The ironies of this situation are circumstances similar to those of the man *El jefe* himself murdered.

Among the plays in a lighter vein, *La visita que no tocó el timbre* (1950) and *Una muchachita de Valladolid* (1958) are the best known. The former is a simple, very human play, full of tenderness and humor. On Christmas Day two elderly bachelors find at their door an abandoned, new-born baby, which they take in; by forgetting their own selfish thoughts and taking care of the infant, they find a happiness they had never known. Unhappily, their joy lasts only until the mother appears and claims her child. *Una muchachita de Valladolid* tells of a young Spanish woman *de provincias* who marries a diplomat and soon afterwards finds herself in a delicate situation. But she emerges the victor, thanks to both her cleverness and her virtue.

Though the problems dealt with in this second category of plays are less profound than those of the first group, Calvo-Sotelo's concern for the ills of society is apparent beneath the exterior, however frivolous, of all of his plays.

The theater of Calvo-Sotelo is of the present, alive, and controversial. He brings to the stage today's most vital problems and, through his characters, discusses and analyzes them. The plays are often polemic in that they pose questions on which the reader or spectator may have varying opinions. Each play is carefully developed, and the action and dialogue flow smoothly without sudden jerks or starts. The well-timed entrances and exists of the actors and the skillful staging combine to hold the audience's attention throughout.

Among contemporary Spanish dramatists, Joaquín Calvo-Sotelo has been the most successful in adapting the problems of twentieth-century society to the theater. He approaches his themes with originality, and skillfully follows a middle path between the two main currents of Spanish drama since 1900: traditionalism and modernism.

La muralla

La muralla is undoubtedly Calvo-Sotelo's most successful play. Premiered October 6, 1954, in the Teatro Lara of Madrid, it enjoyed more than 5000 performances in Spain and was widely acclaimed in other countries of Europe and Spanish America. Published in 14 editions and translated into French, English, German, Portuguese, and Italian, *La muralla* has also been made into a motion picture. Federico Sainz de Robles, in commenting on the reception given *La muralla*, compares the play with other notable successes during his fifty years as a drama critic:

> Among the plays that I have seen in more than half a lifetime as an *aficionado* of the theater, *La muralla* is one of the most outstanding popular successes; and I am not forgetting the records set by *La malquerida* and *Los intereses creados* of Jacinto Benavente; *Canción de cuna* of Martínez Sierra; *En Flandes se ha puesto el sol* of Eduardo Marquina; *La venganza de Don Mendo* of Muñoz Seca; *Angelina, o el honor de un brigadier* of Jardiel Poncela; *Los árboles mueren de pie* and *La dama de Alba* of Alejandro Casona; or *El baile* of Edgar Neville. It has been presented in 600 consecutive performances in Madrid; three or four companies have been formed to take it to the provinces; it has inspired innumerable articles and essays, as well as more than a few lively debates.[2]

The play is divided into two parts, which are in turn divided into two scenes each. The action takes place over a period of a few days, and its swift pace does not diminish for a single moment. The theme of the drama is the desire of the main character, Jorge, to follow the dictates of his conscience against the

[2] "*La muralla* alcanzó uno de los éxitos de público más firme y largo entre los que conozco en ya más que mediada vida de aficionado al teatro; sin que olvide los enormes éxitos alcanzados por *La malquerida y Los intereses creados*, de Jacinto Benavente; por *Canción de cuna*, de Martínez Sierra; por *En Flandes se ha puesto el sol*, de Eduardo Marquina; por *La venganza de Don Mendo*, de Muñoz Seca; por *Angelina, o el honor de un brigadier*, de Jardiel Poncela; por *Los árboles mueren de pie y La dama de Alba*, de Alejandro Casona; por *El baile*, de Edgar Neville. Un éxito de más de seiscientas representaciones consecutivas en Madrid; de tres o cuatro compañías formadas exclusivamente para explotarla en provincias; de incontables artículos y ensayos a ella dedicados por doctísimas plumas y de no pocas y ardientes polémicas por ella suscitadas." Federico Sainz de Robles, *Teatro español 1954-55* (Madrid, Aguilar, 1956), p. 13.

opposition of his family. The first part concerns the transformation of Jorge from a Catholic in name only into a Catholic in belief and act. The action of the play arises from a theft committed long ago by Jorge during the confusion of the Spanish Civil War in 1936. By skillful forgery of a will, Jorge's financial security and that of his family were assured. His life then proceeds normally, and neither religion nor the plight of the legitimate heir, Gervasio Quiroga, moves him to remorse. But one day he suffers a heart attack and suddenly fears for the immortality of his soul. The most emotional moment of the play comes when he confesses the theft to his wife, Cecilia, and announces his intention to make restitution.

The latter half of the play dramatizes each character's reaction to Jorge's decision: people he loves most offer him the most vigorous resistance (*La muralla*). Engulfed in anguish, disillusion, and doubt, Jorge faces the clear and terrible choice of saving his family or saving his own soul. Before deciding on a definitive ending, Calvo-Sotelo experimented with four alternatives.

The only fitting ending is the one which Calvo-Sotelo finally selected, which as Enrique Llovet writes, "carries the two opposing forces to their final violent end. It is the one required by the character who persistently seeks salvation. The dying man does not see things as those who remain behind. Thus, there is in *La muralla* a most excellent, edifying drama.[3]

A precursor of the theme of *La muralla* may be found in the Spanish theater. José Echegaray (1832–1916) developed a similar problem in *O locura o santidad:* that of a man struggling to disclose the rightful heir against the selfish wishes of his family. But the protagonists of the two plays are motivated differently: Don Lorenzo de Avendaño in Echegarey's work is inspired by honesty and Jorge by religion.

In *La muralla*, defined by Calvo-Sotelo as "an X-Ray of so-

[3] "El que lleva a su radical extremismo las dos fuerzas que luchan. El que pide el personaje empeñado en su salvación frente a la sociedad encerrada en la suya. El hombre que se va no puede ver las cosas como los que se quedan. Y por eso hay dentro de *La muralla* un drama admirable y ejemplar." Enrique Llovet, "Crítica de *La Muralla*," *El Alcázar* (Madrid, October 7, 1954), p. 11.

ciety," [4] moral values are set forth very naturally. It is a thesis play, bare and powerful in its impact. Executed with superb technical ability and humorous passages that dilute its bitter sting, the inner drama of Jorge unfolds the drama of a religious morality at war with the self-interests of society.

[4] G. Torrente Ballester, *Teatro Español Contemporáneo* (Madrid, Ediciones Guadarrama, 1957), p. 98.

List of Calvo Sotelo's Plays

Madrid, 1930:	*Una comedia en tres actos*
Barcelona, 1932:	*A la tierra kilómetros 500.000*
Madrid, 1934:	*El rebelde*
Buenos Aires, 1936:	*Alba sin luz*
Madrid, 1939:	*La vida inmóvil, El contable de estrellas o viva lo imposible* * (en colaboración con Miguel Mihura)
Madrid, 1943:	*Cuando llegue la noche* *
Madrid, 1944:	*La última travesía*
Madrid, 1945:	*El jugador de su vida, La cárcel infinita,* * *El fantasma dormido*
Madrid, 1946:	*Tánger*
Madrid, 1947:	*Plaza de Oriente, La gloria en cuarto menguante*
Madrid, 1948:	*Historias de una casa*
Madrid, 1950:	*Damián, La visita que no tocó el timbre,* * *Nuestros ángeles*
Madrid, 1951:	*Cuando llegue el día, Criminal de guerra*
Barcelona, 1951:	*La casa del asturiano*
Madrid, 1952:	*María Antonieta*
Madrid, 1953:	*El jefe, Milagro en la Plaza del Progreso,* * *La mariposa y el ingeniero*
Madrid, 1954:	*La muralla* *
Barcelona, 1955:	*Historia de un resentido*
Madrid, 1956:	*El ajedrez del diablo*
Madrid, 1957:	*La ciudad sin Dios, La herencia*
Madrid, 1958:	*Una muchachita de Valladolid* *
Madrid, 1959:	*No, La república de Mónaco*
Madrid, 1960:	*Cartas credenciales, El glorioso soltero*
Barcelona, 1960:	*Barrabás*
Madrid, 1961:	*Dinero, Fiesta de caridad*
Madrid, 1962:	*El avión de Barcelona*

* Made into motion picture.

Non-Dramatic

Calvo-Sotelo sobre un paisaje familiar (1940)
Nueva York en retales (1947)
Muerte y resurrección de Alemania (1950)
Diez temas musicales en una vida (1951)
El tiempo y su mudanza en el teatro de Benavente (1955)

Translations

ENGLISH
La cárcel infinita
Criminal de guerra
La muralla
FRENCH
Historias de una casa
La casa del asturiano
La muralla
FINNISH
Cuando llegue la noche
GERMAN
La visita que no tocó el timbre
La muralla
ITALIAN
La cárcel infinita
La muralla
PORTUGUESE
Historias de una casa
La muralla

Selected Bibliography

Díaz-Plaja, Fernando, *Teatro español de hoy. Antología 1939–1958*, Ediciones Alfil, Madrid, 1958.

Diccionario de literatura española, 2nd edition, Revista de Occidente, Madrid, 1953.

Díez-Echarri, Roca Franquesa, J. M., *Historia general de la literatura española e hispanoamericana*, Aguilar, Madrid, 1960.

Gómez-Santos, Marino, "Pequeña historia de grandes personajes," *Pueblo*, Madrid, January 19–20, 22–24, 1960.

Marquerie, Alfredo, "Crítica teatral," *ABC*, Madrid, January 21, September 23, December 7, 1961.

Sainz de Robles, Federico C., *Ensayo de un diccionario de la literatura. Escritores españoles e hispanoamericanos*, 2nd edition, Aguilar, Madrid, 1953.

Sainz de Robles, Federico C., *Teatro español 1950–51*, 2nd edition, Aguilar, Madrid, 1957 (Self-criticism, text, and criticism of *Criminal de guerra*), pp. 379–435.

Sainz de Robles, Federico C., *Teatro español 1952–53*, Aguilar, Madrid, 1956 (Self-criticism, text, and criticism of *El jefe*), pp. 237–238.

Sainz de Robles, Federico C., *Teatro español 1954–55*, 2nd edition, Aguilar, Madrid, 1959 (Self-criticism, prologue, text, and criticisms of *La muralla*), pp. 91–166.

Sainz de Robles, Federico C., *Teatro español 1955–56*, Aguilar, Madrid, 1956 (Self-criticism, text, and criticisms of *Historia de un resentido*), pp. 193–247.

Sainz de Robles, Federico C., *Teatro español 1956–57*, Aguilar, Madrid, 1957 (Self-criticism, text, and criticisms of *Una muchachita de Valladolid*), pp. 255–316.

Torrente Ballester, Gonzalo, *Panorama de la literatura española*, Editorial Guadarrama, Madrid, 1956.

Torrente Ballester, Gonzalo, *Teatro español contemporáneo*, Editorial Guadarrama, Madrid, 1957.

Valbuena Prat, Angel, *Historia del teatro español*, Editorial Noguer, Barcelona, 1956.

Palabras ocasionales

Los editores de la versión para alumnos de español de LA MURALLA, me piden unas palabras que sirvan de introito a mi comedia. Aún cuando por principio todo autor está siempre dispuesto a ocuparse de su propia obra (La Rochefoucauld decía que los enamorados no se cansaban nunca de hablar porque siempre hablaban de sí mismos y al autor, teóricamente, hay que suponerlo enamorado de su obra) yo reconozco que cierta perplejidad me asalta al hacerlo de la mía.

En primer término, pasaron ya varios años desde que mi comedia se estrenó. Mi luna de miel con LA MURALLA, lo confieso, se acabó hace ya mucho si es que existió siquiera. Y ahora, al repetirse el contacto con sus personajes y con el problema que los entrelazó, me siento un poco en la misma actitud melancólica del que repasa, al contacto con viejas fotografías, emociones pretéritas.

Yo sigo viendo en LA MURALLA, algunas de las virtudes que determinaron su fulgurante y hasta hoy no superado éxito en el teatro español de la postguerra. El conflicto está planteado con rapidez y claridad. Prende, por tanto, de una manera inmediata en la sensibilidad del espectador y la atmósfera en que se fraguó sigue viva como entonces. Entonces, igual que hoy, merodean en torno nuestro farisaicos oficiantes de una moral y aun de una religión, que son incapaces de imponerse a sí mismos la austeridad de costumbres que su credo exige. En un país oficialmente católico y en el que, de hecho, salvo mínimos y extraños islotes creados artificialmente, no existen más que católicos o ateos, LA MURALLA estaba llamada a producir polémicas y escándalos. Así fué.

Sin embargo, claro es que su problema esencial, no es religioso ni católico, sino moral. Todas las religiones condenan con igual vigor dos pecados que en ninguna de ellas falta. El de matar y el de robar. LA MURALLA, que gira a lo largo de sus cuatro cuadros en torno a la necesidad ética de restituir lo ilícitamente usurpado vería empequeñecido su ámbito, si éste se redujese al de los cristianos por abundante que sea su número, ya que, virtualmente llama a las conciencias no ya de cuantos creen en Dios, sino de cuantos se consideran insertos en un mundo regido por unas cuantas normas elementales y de derecho natural.

Todo esto, realmente, concierne al espíritu y a la temática de LA MURALLA pero con seguridad, no es lo que debe ser analizado en este breve proemio. Aquí, puesto que la traducción no se hace para servir de base a un simposium de filósofos o moralistas, sino tan sólo de aprendices de español, lo que hay que ver es si la comedia en sí es lo bastante rica en giros, en locuciones verbales, en expresiones idiomáticas—a veces ausentes de los diccionarios—como para que quienes las repartan en papeletas y las analicen en los ejercicios adjuntos, puedan considerar honorablemente incrementado su patrimonio de español al coronar sus trabajos.

Déjeseme confesar la gran sorpresa que, en este orden de cosas, me ha producido la labor de la señora Robina E. Henry y de D. Enrique Ruiz-Fornells. Antes de conocerla yo no podía suponer que los ingredientes puramente coloquiales de mi comedia fuesen tan importantes numéricamente como lo son. Puesto que una comedia es a fin de cuentas una conversación, lógico era esperar que su lectura nos pusiese en contacto con múltiples modismos, con frases que sólo tienen un valor puramente verbal, pero distaba yo mucho de creer que les correspondiese tanta parte en el diálogo de LA MURALLA.

Sus traductores y glosadores, han desarmado mi obra como las piezas de un mecano y yo soy el primer sorprendido del volumen de su inventario. Va implícito en estas manifestaciones, un elogio para la minuciosidad y el celo con que la señora Robina E. Henry y el señor D. Enrique Ruiz-Fornells han llevado a cabo su labor y yo me complazco en tributárselo.

No es en la lectura de un autor dramático—al menos no en

la de mis obras—en donde el aprendiz de español ha de beber las aguas más claras. El lenguaje suele estar cargado de impurezas, que los gramáticos hacen bien en fulminar con sus trenos y proscribir de su santuario, pero a cambio de tantas adulteraciones, acostumbra a mostrarse enriquecido por un color y una fuerza que otros textos más nobles—la poesía por ejemplo—no siempre tienen.

Yo celebraría que, a quienes leyesen LA MURALLA con ánimo de aprender un idioma nuevo, no les pareciese desnutrido su texto de interés y para mí sería un orgullo el haber sido—modestísimo y humildísimo ujier del idioma—quien les ayudase a entrar en ese palacio maravilloso, que habitan Cervantes, Lope y Quevedo.

Joaquín Calvo-Sotelo
De la Real Academia Española

Esta comedia fué estrenada en el Teatro Lara, de Madrid, la noche del 6 de octubre de 1954, con el siguiente

REPARTO

PERSONAJES										ACTORES
Cecilia	.	.	.	.	.	.	.	.	.	Lina Rosales.
Matilde	.	.	.	.	.	.	.	.	.	Amparo Martí.
Amalia	.	.	.	.	.	.	.	.	.	Pastora Peña.
Jorge	.	.	.	.	.	.	.	.	.	Rafael Rivelles.
Javier	.	.	.	.	.	.	.	.	.	Francisco Pierrá.
Angel	.	.	.	.	.	.	.	.	.	Gaspar Campos.
Alejandro	.	.	.	.	.	.	.	.	.	Manuel Díaz González.
Romualdo	.	.	.	.	.	.	.	.	.	Alberto Sola.

Hizo el decorado Redondela.
Empresario: Conrado Blanco.

En Barcelona fué igualmente estrenada la noche del 23 de diciembre de 1954, por la Compañía Lope de Vega, en el Teatro Comedia, con arreglo al siguiente

REPARTO

PERSONAJES										ACTORES
Cecilia	.	.	.	.	.	.	.	.	.	Asunción Sancho.
Matilde	.	.	.	.	.	.	.	.	.	Milagros Leal.
Amalia	.	.	.	.	.	.	.	.	.	Amparito Gómez Ramos.
Jorge	.	.	.	.	.	.	.	.	.	Manuel Dicenta.
Javier	.	.	.	.	.	.	.	.	.	Sr. Orduña.
Angel	.	.	.	.	.	.	.	.	.	Alfonso Muñoz.
Alejandro	.	.	.	.	.	.	.	.	.	Sr. Heredia.
Romualdo	.	.	.	.	.	.	.	.	.	Sr. Guijarro.

parte **I** *cuadro primero*

La escena representa la sala de estar de la casa de los señores de Hontanar, Jorge y Cecilia, sita en cualquiera de las calles de cualquiera de los barrios residenciales madrileños. Es una habitación puesta con buen gusto y que refleja el bienestar económico de sus dueños. Para las necesidades de la acción son precisos muy pocos elementos. En primer término izquierda hay una puerta que da a la calle. En el ángulo, una silla, próxima a una lámpara de pie y a una librería empotrada. Al foro, en último término, un gran ventanal que encubren unas cortinas. A juego con la librería indicada, otra en el mismo término de la derecha. En el ángulo, un reloj de pared. En primer término, frente a la puerta de la calle, otra, que da a las habitaciones interiores. Un sofá con un sillón, en primer término a la derecha. Tras el sofá, una mesita estrecha y alargada, en la que está el teléfono y en la que hay una lámpara y algunas flores. Entre las librerías y el foro propiamente dicho, se supone que hay espacio libre para las entradas y salidas de algunos de los personajes. El timbre del servicio y el de la calle deben sonar de manera distinta.

Los términos derecha e izquierda van referidos al espectador,[1] y no al actor.

[1] **van referidos al espectador** as viewed from the position of the spectator.

(*Al levantarse el telón son las once de la mañana de un soleado día de primavera.* ROMUALDO, *un criado, entra por la izquierda. Le ha precedido* ALEJANDRO BENÍTEZ, *secretario particular de don Jorge Hontanar. Alejandro es un hombre que viste modestamente. Romualdo lleva una chaqueta de cuello cerrado.*)

ALEJANDRO: Me deja frío con lo que me dice.

ROMUALDO: Iba a haberle avisado, sólo que . . .

ALEJANDRO: ¿Y a qué hora fué?

ROMUALDO: Pues, a las siete en punto. Por cierto, una hora en la que el señor no se encuentra en casa nunca.

ALEJANDRO: ¿Y qué hizo usted?

ROMUALDO: Lo natural en estos casos: tumbarle en el diván con la cabeza baja, abrirle el cuello de la camisa, mojarle la cara y poner en movimiento a las muchachas. Una, al médico, que vive, por fortuna, en el piso de arriba, y otra . . . , a la parroquia.

ALEJANDRO: (*Pensativo.*) A la parroquia . . .

ROMUALDO: El médico bajó en seguida. Fíjese que tuvimos la suerte de que, por ser su santo,² no hubiera ido a visitar a sus enfermos. Si no, cualquiera sabe . . .³

ALEJANDRO: Pero . . . es horrible . . . Y un hombre como don Jorge, en lo mejor de la vida, joven, lleno de fuerza . . .

ROMUALDO: Pues hubo un segundo en el que el doctor torció el gesto y dijo: "Se nos va por la posta."⁴ ¿Se da usted cuenta? Y es que al señor se le había quedado una cara . . . ¡Madre mía! Pálido, pálido, con los ojos medio cerrados . . . ¡Un drama, vaya!

ALEJANDRO: ¿Y hablaba?

ROMUALDO: Casi ni se le oía . . . Un hilillo de voz que apenas le salía de los labios . . .

ALEJANDRO: ¿Y qué decía?

ROMUALDO: "Un sacerdote, un sacerdote" . . . Total, que la inyección fué mano de santo. A los pocos segundos, don

---

² **santo** *Spaniards are given at baptism the name of a saint, and celebrate their "Saint's Day" rather than their birthday.*

³ **Si no, cualquiera sabe** Had this not been the case, who knows.

⁴ **Se nos va por la posta** (post-stage) He's going (dying) fast.

Jorge empezó a recobrarse . . . En éstas, el sacerdote
. . . El cuadro era para impresionar al más pintado.[5]
De entrada, una absolución como un castillo.[6]

ALEJANDRO: Hombre, como un castillo . . .

ROMUALDO: Sí, sí, que nos aprovechó a todos, estoy seguro. Yo
me di cuenta . . . Y en seguida, la recomendación del
alma, nada menos.

ALEJANDRO: Es tremendo. ¿Y don Jorge?

ROMUALDO: Poquito a poco le fué volviendo el color, y lo que
era más importante, el pulso . . . Hasta que se reco-
bró . . . Oiga, y todo en cuestión de minutos. A las
siete, sano como el que más; [7] a las siete y media, que
si me voy que si no me voy.[8] Y a las ocho, que me
quedo.[9]

ALEJANDRO: ¿Y la señora?

ROMUALDO: Pues, ¿sabe lo que pasó? Que [10] como dejó tan
tranquilo al señor al irse y se lo encontró al volver casi
igual, le costó hacerse a la idea [11] de que hubiera estado gravísimo, ¿comprende? De todas maneras, yo creo
que se ha dado cuenta, porque no tiene un pelo de
tonta.[12] Y la prueba es que ha bajado a la parroquia
a encargar todas las misas de mañana, en acción de
gracias.

ALEJANDRO: ¿Está fuera entonces?

ROMUALDO: Sí, aunque no creo que tarde.

ALEJANDRO: ¿Hay alguien con don Jorge?

ROMUALDO: Su hija Amalia y doña Matilde, la madre de la
señora. ¡Ah! Y el señor Montes, el padre del novio de
la señorita Amalia. Supo lo sucedido [13] anoche, tomó

[5] **era para impresionar al más pintado** was enough to impress anyone.
[6] **una absolución como un castillo** a most impressive absolution.
[7] **sano como el que más** in the best of health.
[8] **si me voy que si no me voy** he is hovering between life and death.
[9] **que me quedo** he remains (with us), *i.e.* he recovers.
[10] **Que** do not *translate.*
[11] **le costó hacerse a la idea** she found it difficult to grasp the fact.
[12] **no tiene un pelo de tonta** she's not a fool by any means.
[13] **lo sucedido** what happened.

el tren y se plantó aquí. Esa boda me parece a mí que está al caer.[14]

ALEJANDRO: Es posible, Romualdo.

ROMUALDO: Y no me extraña. Menudo bombón es la señorita Amalia. Guapa, joven . . . y dueña el día de mañana de "El Tomillar." Imagínese, la mejor finca de Extremadura.[15] Claro que el señor Montes también debe de tener lo suyo, ¿eh? Ese ha mandado siempre en su provincia más que el alcalde y que el gobernador juntos.

ALEJANDRO: Sí, es hombre de mucha influencia [16] . . . Bien, pues . . . no sé qué hacer, si marcharme o esperar.

ROMUALDO: Aguarde un momento. (*Hace mutis por la derecha y regresa en seguida precipitadamente.*) Ya sale don Jorge.

(*Por la derecha aparece, primeramente,* DON JAVIER MONTES. *Es un caballero de unos cincuenta y cinco años de edad, factótum de una provincia, no muy determinada, de las que van desde la punta de Gibraltar a la Bahía de Rosas,[17] puesto que consta la bondad de su clima y que está asomada al litoral mediterráneo.[18] El señor Montes no ostenta ningún cargo oficial, pero presume más que si fuera el ministro de la Gobernación. Habla con prosopopeya, con un gran aire de dispensador de favores. Por lo demás, es bastante simpático y su vanidad, que a nadie hiere, se le perdona sin dificultades. Tras él viene* JORGE. *Jorge es un hombre atrayente, joven aún, con la edad justa para ser el padre de Amalia. Un dejo de melancolía, una sonrisa un poco entristecida trasciende de sus palabras. Está un poco pálido, como es lógico, dado el embate que su salud acaba de sufrir la tarde antes; pero él se esfuerza, elegantemente, en quitarle importancia y solemnidad a su crisis.* AMALIA, *su hija, llega con los dos. Cuanto digamos en favor de sus encantos resultará siempre insuficiente: tiene veintidós o veintitrés abriles,*

[14] **está al caer** is about to take place.
[15] **Extremadura** *a region situated to the S.W. of Madrid and bordering on Portugal.*
[16] **hombre de mucha influencia** a man with influential friends.
[17] **Gibraltar a la Bahía de Rosas** *the former in the extreme S.W., and the latter in the extreme N.E., of Spain.*
[18] **asomada al litoral mediterráneo** on the Mediterranean coast.

los precisos para pensar en casarse antes de que acabe el año.)

JAVIER: Hágame caso, Jorge: unos días en el Mediterráneo, es mi consejo. ¿Qué hay, señor Benítez? Hombre, ayúdeme usted a convencerle.

AMALIA: Papá es muy suyo, y cuesta trabajo que dé su brazo a torcer.[19]

JORGE: ¿Te lo parece?

ALEJANDRO: (*Un poco emocionado.*) ¿Qué te ha pasado, caramba?

JORGE: Nada, nada de importancia.

ALEJANDRO: Pero . . .

JAVIER: No me diga. A usted le sucede lo mismo que a mí. No se cree eso de las carreras y los sustos y el médico y el cura . . . Pensábamos encontrarnos un enfermito demacrado, chupado, como deben ser los enfermos, qué demonio, y nos encontramos con un hombre estupendo, vendiendo salud[20] y vestido para salir a la calle.

ALEJANDRO: Pero que no saldrá, supongo.

AMALIA: ¿Cómo se le ocurre?[21]

JAVIER: Hágame caso. Yo soy el presidente de la Inmobiliaria Sol, que ha construído veinte hotelitos en la playa. Mañana le busco uno en condiciones para que se vaya allí con su mujer y descanse un par de semanitas. Es lo mejor: quítese usted de quebraderos de cabeza con "El Tomillar" arriba y "El Tomillar" abajo.[22] Ya sé que una finca así da preocupaciones, y acaso lo que le ha sucedido tiene su origen en alguna de ellas. ¿Digo bien,[23] señor Benítez?

ALEJANDRO: Estoy de acuerdo con usted.

JORGE: Veremos, amigo Montes, veremos.

JAVIER: ¿Se ha fijado en la cara de disgusto que ha puesto Amalita porque no contamos con ella para el viajecito?

[19] **es muy suyo, y cuesta trabajo que dé su brazo a torcer** is very self-assured and it is hard to make him change his mind.

[20] **vendiendo salud** with health to spare.

[21] **¿Cómo se le ocurre?** How could you think of such a thing?

[22] **"El Tomillar" arriba y "El Tomillar" abajo** "El Tomillar" this and "El Tomillar" that.

[23] **¿Digo bien?** Isn't that right?

5

AMALIA: Sí . . . , sí . . . ; que voy a dejarle ir solo.[24]

JORGE: Cualquiera que la oyese creería que es el amor filial el que la empuja a acompañarme. Pero a mí me parece que no es ese amor precisamente.

JAVIER: Averígüelo Vargas: lo único que yo sé es que mi hijo tiene un gusto de primera clase . . . y una suerte extraordinaria. (*Transición.*) ¿Qué? ¿Nos animamos?

JORGE: Veremos, veremos.

JAVIER: Aproveche usted esta ocasión, que . . .[25] a lo mejor, dentro de unos meses, ya no me encuentra allí. (*Sonríe con una enigmática fatuidad.*)

JORGE: ¿Cómo? ¿Se viene usted a Madrid?

JAVIER: (*En la misma actitud.*) ¡Quién sabe!

ALEJANDRO: Es verdad. Si no te he contado, Jorge . . . Pero ya he oído yo por más de un sitio que, en la próxima combinación . . .[26]

JAVIER: (*Casi colorado.*) ¿Sí . . . ? No . . . (*Le tira de la lengua.*) ¿Y qué dicen, qué dicen . . . ?

ALEJANDRO: Se habla . . . , no sé bien si de una Dirección General[27] o de una Subsecretaría . . .

JAVIER: ¡Bah! ¡Bah! . . . Disparates.

JORGE: No me sorprende nada, Javier. Y me alegro muchísimo.

JAVIER: No hay que hacer caso . . . Lo que sucede es que, como soy de Bilbao,[28] aunque vivo siempre en Valnueva, pues la gente supone que, tarde o temprano, acabarán por darme una Embajada. Sin embargo, los tiros (*Se refiere a Benítez.*) van, más bien, por ese otro lado.[29] Aunque yo no creo ni una cosa ni otra. . . .

ALEJANDRO: Señor Montes: donde fuego se hace, humo sale.[30]

[24] **que voy a dejarle ir solo** I wouldn't dream of letting him go alone.
[25] **que** *used for* porque.
[26] **combinación** *coalition government.*
[27] **Dirección General** *directorate of a branch of a ministerial department.*
[28] **Bilbao** *largest seaport and industrial city in the Basque Provinces (in extreme north of the peninsula) from which, in recent years, many of Spain's most important ambassadors have come.*
[29] **los tiros van, más bien, por ese otro lado** it seems more probable that Sr. Benítez is right.
[30] **donde fuego se hace, humo sale** *proverb*—where there's smoke, there's fire.

6

JAVIER: En fin, lo que sea sonará. Adiós, Benítez.

ALEJANDRO: Encantado de verle, y enhorabuena por antici-
pado.

JAVIER: (*Al borde del mutis.*) Siento mucho no saludar a su
esposa. Muchas cosas de mi parte.

JORGE: No creo que tarde Cecilia. Y gracias por su visita, "señor
embajador".

JAVIER: Subsecretario, subsecretario . . .

(*Mutis de Javier con Amalia y Alejandro. Jorge queda solo en
escena unos segundos. Va al espejo y se examina en él. Se mide
las huellas que el asalto de la muerte, tan próximo, ha impreso
en su rostro. Se sonríe a sí mismo amargamente. Después se
sienta en el sofá, saca un cigarrillo y se dispone a fumarlo. Es
ése un gesto que lleva a cabo de una manera casi automática,
refleja, sin concederle importancia. Pero, cuando está a punto
de encenderlo, se interrumpe.*)

JORGE: ¡Ah, no! El médico dijo: "Y sobre todo el tabaco,
suprímalo . . . , como si no existiera . . ."

(*AMALIA sale por la izquierda, cruza la escena, y antes de salir
vivazmente por la derecha, le hace una afectuosa carantoña a
su padre.*)

AMALIA: Voy a ver si tu suegra dejó libre el teléfono del pasillo.

JORGE: Cuando Matilde lo coge por su cuenta . . .[31]

(*ALEJANDRO entra ahora y le sorprende con el cigarrillo entre
los dedos.*)

ALEJANDRO: ¿Qué tal te encuentras,[32] Jorge?

JORGE: ¿Fumas, Alejandro?

ALEJANDRO: ¿Yo? Nunca lo hice; ya lo sabes.

JORGE: Cierto. (*A ROMUALDO, que cruza la escena.*) Usted sí
fuma, Romualdo, ¿no es así?

ROMUALDO: De vez en cuando, señor.

JORGE: (*Al mismo tiempo que le da la cajetilla. Con un leve
aire de solemne burla. Lentamente.*) Lego las seis cajas
de puros que están en la mesa de mi despacho a mi
fiel servidor Romualdo González, en prueba de agrade-
cimiento, por lo bien que me sirvió en vida y para

---

[31] **lo coge por su cuenta** takes possession of it.
[32] **¿Qué tal te encuentras?** How do you feel?

librarle de la tentación de fumarse alguno a mis espaldas. En testimonio de lo cual . . .

ALEJANDRO: (*Un poco incómodo.*) Bueno, Jorge . . .

ROMUALDO: No le interrumpa, don Alejandro.

JORGE: Se acabaron mis mandas.[33]

ROMUALDO: Un millón de gracias. (*Transición.*) Ah, di con el señor cura de ayer. Por casualidad, pero lo conseguí.[34] Es el párroco de un pueblecito gallego. Se puso muy contento con la mejoría del señor y me dijo que conforme, que antes de una hora estaría aquí.

JORGE: Magnífico, Romualdo.

ROMUALDO: ¿Quiere alguna cosa más?

JORGE: Nada, nada. (*Mutis de Romualdo.*) ¿Que[35] cómo me encuentro, me preguntabas? Y tú, Alejandro, ¿cómo me encuentras?

ALEJANDRO: Exactamente igual que siempre, Jorge; si nada me hubieran dicho, ¿cómo iba yo a suponer que . . . ? Estás idéntico. Si acaso, algo más pálido. Y se acabó.[36]

JORGE: La muerte empieza siendo simplemente un cambio de color. Un poco más de palidez en la tarde de ayer me hubiera[37] hecho imposible recobrar mi color natural.

ALEJANDRO: ¿Qué sentiste, Jorge?

JORGE: Que me moría. Que las cosas y las personas se escapaban de mí, sobre unos raíles invisibles, y se iban alejando, por segundos, de donde estaba yo. Que me hablaban y que no oía . . . Y que los ojos no me servían de nada . . . La muerte, ¿es algo distinto de eso?

ALEJANDRO: ¿Y sin dolor?

JORGE: Al principio, sí, uno terrible en el brazo izquierdo y en el pecho, que me asaltó de pronto, igual que un policía

---

[33] **Se acabaron mis mandas** I have no more bequests to make.

[34] **Por casualidad, pero lo conseguí** By chance, but I succeeded (in finding him). *This contradiction of course indicates that Romualdo had actually gone in search of the priest, at the request of don Jorge.*

[35] **Que** *do not translate.*

[36] **se acabó** *that's all.*

[37] **hubiera** *The -ra form of the imperfect subjunctive may be used in the result of a condition, instead of the conditional.*

8

a un maleante, sin dejarme mover ni llamar siquiera
. . . Después, hasta el dolor fué pasando a segundo
término, esfumándose, y yo, deshaciéndome como un
montón de cuartillas que se llevara el viento.

ALEJANDRO: El doctor . . . , llegó en seguida . . .

JORGE: Sí, por fortuna.

ALEJANDRO: Y el sacerdote . . . Que era al que tú llamabas con
más angustia . . .

JORGE: Pues, sí, el sacerdote. (*Transición.*)

ALEJANDRO: ¡Ah, demontre! Viéndote de tan buen aspecto,[38]
me cuesta imaginarme que hayas tenido algo serio hace
unas horas.

JORGE: A los diez metros del viraje o de la falsa maniobra que
nos pone a la muerte, todos rebosamos salud, Alejandro.

ALEJANDRO: En fin . . . , me alegra encontrarte tan sereno y tan
dueño de ti.

JORGE: Te diré la verdad: yo soy otro hombre. Y, acaso muy
pronto, tú mismo te darás cuenta de ello. Y ahora,
escúchame. Necesito saber mañana mismo [39] dónde
está Gervasio Quiroga.

ALEJANDRO: (*Extrañadísimo.*) ¿Quién?

JORGE: Me has oído, ¿verdad? Es inútil que repita el nombre.

ALEJANDRO: Te refieres, claro, a aquel del que decían si era
hijo o no lo era . . . de tu padrino.

JORGE: El mismo.

ALEJANDRO: ¿Y qué te importa a ti dónde está y para qué
quieres saberlo?

JORGE: Ese es asunto mío.

ALEJANDRO: Pero supongo que te habrás enterado de que anduvo metido [40] en unos negocios sucios, de contrabando.

JORGE: Sí, ya lo sé (*Transición.*) Necesito sus señas. (ALE-
JANDRO *le mira atónito.*) ¿Qué miras?

ALEJANDRO: No, no, nada.

JORGE: Y te ruego que hagas el favor de averiguarlas.

---

[38] de tan buen aspecto *looking so well.*

[39] mismo *used here for emphasis*

[40] anduvo metido *was involved in.*

ALEJANDRO: (*Sarcástico.*) Las preguntaré en la Dirección General de Seguridad.[41]

JORGE: Donde te apetezca; pero cuanto antes, mejor.

ALEJANDRO: ¿Y dónde quieres que me informe? Ya no vive en el pueblo. Creo que se fué a Badajoz [42] y que anda por allí.[43]

JORGE: En "El Tomillar" habrá alguno que las [44] sepa.

ALEJANDRO: Escribiré al administrador.

JORGE: No; prefiero que le telefonees.

ALEJANDRO: ¿Telefonear? ¿Es tan urgente?

JORGE: (*Enigmático.*) Sí, muy urgente.

ALEJANDRO: Bueno; me parece que no es ésta la mejor ocasión de llevarte la contraria. Ya te informaré de lo que me digan.

JORGE: Muy bien.

(*En este momento,* CECILIA, *por la izquierda. Es una mujer de treinta y tantos años.*[45] *Trae un velo* [46] *al brazo y un devocionario. Llega nerviosamente, con el temor de que se le haya hecho tarde.*)

CECILIA: Hola, Alejandro.

ALEJANDRO: ¿Qué tal, Cecilia?

CECILIA: Vengo [47] un poco apurada. Hay que ponerte la inyección. ¿Y mamá?

JORGE: En el teléfono del pasillo, contando mi agonía por duodécima vez a no sé cuál de sus amigas. La oí y me quedé impresionadísimo.

(DOÑA MATILDE, *por la derecha. Es una señora de cierta edad, la suficiente para ser madre de Cecilia y ni un año más, y tan guapa como pueda.*[48] *Los esfuerzos que hace para seguir siéndolo se le advierten, eso es verdad. Se maquilla y se faja visiblemente, pero mentiríamos si dijéramos que no la acompaña el*

---

[41] **Dirección General de Seguridad** Security Police headquarters.

[42] **Badajoz** *capital of the province of Badajoz, in Extremadura.*

[43] **anda por allí** he's somewhere in that region.

[44] **las** *i.e.* las señas.

[45] **de treinta y tantos años** in her thirties.

[46] **velo** *a black shoulder-length veil used as a head-covering in church.*

[47] **Vengo** *"venir" is here used as a graphic substitute for "estar."*

[48] **pueda** as she can manage to be.

éxito. Viene muy peripuesta y en actitud de salir a la calle.)

MATILDE: A cualquier cosa llamas tú agonía. Gracias a Dios, ¿qué sabes de eso?

JORGE: Soy casi un técnico, Matilde.

ALEJANDRO: Buenos días, señora.

MATILDE: Ah, buenos días. (CECILIA *hace mutis por la derecha.*)

ALEJANDRO: Y me marcho. (*A Jorge.*) Tampoco creo que recibir visitas te convenga demasiado.

MATILDE: Me alegra que se lo diga. Para que se cuide.

ALEJANDRO: (*En réplica a un ademán de Jorge.*) No te muevas. Mañana volveré.

JORGE: Y no te olvides . . .

ALEJANDRO: No me olvidaré. (*A doña Matilde.*) A sus pies,[49] señora. Adiós, Jorge.

JORGE: Hasta mañana. (*Y se marcha por la izquierda.*)

MATILDE: (*A* CECILIA, *que entra.*) ¿Qué haces? ¿Preparas la inyección?

CECILIA: Sí.

MATILDE: ¿Necesitas que te ayude?

CECILIA: ¿Para qué . . . ? Ya la he puesto a hervir.

MATILDE: ¡Ah, caramba! Aunque me reproches lo del teléfono:[50] me olvidé de hablar con las Montero.[51]

JORGE: Diré a Romualdo que le avise cada treinta minutos.

MATILDE: Veo que no has perdido el humor. (*Se va por la derecha.*)

CECILIA: ¿Se fué Alejandro? Ese te quiere bien.

JORGE: Y yo a él. ¡Pobre! Se ha quedado de una pieza.[52]

CECILIA: ¡Bah, bah! . . . No te hagas el resucitado.[53]

JORGE: Es que, además, sucede una cosa. Somos de la misma quinta.[54] Cuando vemos un amigo de nuestra edad sortear la muerte, nos sentimos desmoralizados. Hoy,

[49] **A sus pies** *a courtesy not infrequently used by gentlemen when greeting, or saying goodbye to, a lady.*

[50] **lo del teléfono** the time I spent talking on the telephone.

[51] **Montero** *the plural form of proper names is not used in Spanish.*

[52] **Se ha quedado de una pieza** He has been deeply shocked.

[53] **No te hagas el resucitado** Don't act as if you had risen from the dead.

[54] **la misma quinta** the same military draft. *This means that Jorge and Alejandro are the same age.*

11

en la tertulia [55] del casino, habrá quien tome dos copas de coñac y quien no tome ninguna. O sea,[56] quien quiera olvidarse y quien se empiece a cuidar.

CECILIA: Nunca nos aprovechamos de las lecciones ajenas.

JORGE: ¿Sabes por qué? Porque nos las dan gratis. Tanta baratura es contraproducente.

CECILIA: Tú, por ejemplo, Jorge, de haberme escuchado,[57] te habrías evitado esto . . .

JORGE: ¡Bah! ¿Pretendes que empiece a hacer vida de viejo? [58]

CECILIA: No. Pero sí que dejes de hacer vida de joven. Ya no lo eres, Jorge.

JORGE: Soy eso que se llama un hombre maduro.

CECILIA: Justo.

JORGE: Estate tranquila.[59] Mido bien mis fuerzas. Sé que aún puedo subir las escaleras de dos en dos, pero que antes las subía sin saberlo. Sé que ya puedo resistir la tentación de asomarme cuando pasa la música de un regimiento por la plaza. Empiezo a creer que los periódicos se imprimen en tipos de letra más pequeña y que a algunas gentes les ha dado la manía de hablar bajo. Las sirenas ya no se atreven a cantarme su canción, porque adivinan que soy capaz de buscarles la segunda voz.[60] En la calle, los muchachitos me preguntan la hora que es y me piden cerillas. Soy un hombre maduro y tengo el tipo que corresponde a mi edad.[61] No es una revelación para mí, Cecilia.

CECILIA: (*Le palmotea en la mejilla tiernamente.*) El tipo, las arterias y el corazón . . . han cumplido ya, Jorge, los cuarenta años.

JORGE: Sí, Cecilia, sí.

CECILIA: ¡Oh, Jorge, no te sientas mortificado! Si a mí me

[55] tertulia *informal gathering (a typical feature of Spanish social life)*.
[56] O sea *That is to say.*
[57] de haberme escuchado *if you had listened to me.*
[58] ¿Pretendes que empiece a hacer vida de viejo? *Are you trying to make me begin to lead the life of an old man?*
[59] Estate tranquila *Don't worry.*
[60] soy capaz de buscarles la segunda voz *I am too experienced for them.*
[61] tengo el tipo que corresponde a mi edad *I have the physique of any man of my age.*

pidieran declaración, juraría que apenas tienes veinti-
cinco. Es toda esa maquinaria interior la que nos lleva
la cuenta [62] y la que comete la impertinencia de recor-
darnos la edad cuando menos lo esperamos.

JORGE: Mira, maquinarias hay que se rompen sin avisar. Esa sí
que es [63] una impertinencia y hasta una falta de educa-
ción. La mía, no. (*Irónicamente.*) Mi corazón es co-
rrectísimo, y, antes de partirse en dos, se ha dignado
prevenirme: "Amigo mío: me es imposible seguir soste-
niendo tanto trabajo. Vaya usted tomando [64] sus pre-
cauciones."

CECILIA: Bueno, bueno, Jorge. No hay que ser pesimista. Me
sorprende verte reaccionar de esa forma. Esa actitud
es nueva en ti. Mi deseo era meterte un poco de miedo.
Pero tú exageras.

JORGE: Yo no, Cecilia; yo veo las cosas como son. Es verdad:
el aviso que la muerte me ha dado ayer es muy serio,
muy grave. Y yo he comprendido que, o me cuido o
deberé atenerme a las consecuencias.

CECILIA: Mira, es una determinación muy sensata. Y piensa,
Jorge, que quien te ha avisado, como tú dices, no es tu
corazón solamente: es Dios.

JORGE: (*Súbitamente impresionado.*) ¡Ah, eso sí!

CECILIA: Piensa que estás muy alejado de Él, de espaldas [65] a
todo desde hace años.

JORGE: Sí, ya sé . . .

CECILIA: Tú, aquel alumno de los Jesuítas, de comunión diaria,[66]
según me contabas; aquél que dudó, recién concluído
el bachillerato, si irse al Seminario o no . . .

JORGE: Es verdad.

CECILIA: ¡Ah! Siempre mis esfuerzos para traerte a buen camino
han fracasado; pero ésta es una ocasión maravillosa de
que tú . . .

[62] **nos lleva la cuenta** keeps us informed.
[63] **Esa sí que es** That certainly is.
[64] **Vaya usted tomando** "*ir*" *with the present participle indicates that the
action continues increasing.*
[65] **de espaldas** having turned your back.
[66] **de comunión diaria** who used to take Holy Communion every day.

JORGE: (*Gravemente.*) no pienso desaprovecharla, Cecilia, te lo aseguro. (*Transición.*) ¿Qué miras?

CECILIA: Estoy haciendo algo para ayudarte a que la aproveches, Jorge.

JORGE: ¿Qué estás haciendo?

CECILIA: No, ahora no te lo digo; más tarde.

JORGE: Como gustes.

CECILIA: Bueno, y basta ya de hablar de cosas serias, ¿no te parece? Supongo que ya estará [67] la inyección. (*JORGE intenta levantarse.*) Quieto, te la pongo aquí mismo.

JORGE: Conforme. (*CECILIA hace mutis por la derecha.*)

CECILIA: (*Desde dentro.*) Quítate la chaqueta, anda.[68]

MATILDE: (*Regresa por la derecha. Se ha puesto sombrero. Trae el bolso y los guantes, dispuesta a salir.*) Estos pinchacitos son mano de santo.

JORGE: Tal vez lo sean.

MATILDE: ¿Sabes lo más tranquilizador de cuanto te han dicho? Que no es una lesión orgánica, sino funcional.

JORGE: Sea lo que sea [69] . . . , si se repite . . .

MATILDE: ¡Bah, bah! ¿Y por qué ha de repetirse?

CECILIA: (*Aparece con la jeringuilla de la inyección, un pedazo de algodón y un pequeño frasquito de una medicina, que deja en la mesa contigua.*) ¿Preparado? Es un segundo. (*Le limpia con el algodón el brazo y le clava la jeringuilla, todo en un alarde de precisión casi profesional.*) [70] ¡Ajajá, listo! [71] (*Mientras Jorge se arregla la ropa.*) Y tómate, de paso,[72] una de estas pastillas. (*Se la sirve.*) ¿Quieres un poquito de agua?

JORGE: ¿Para qué?

MATILDE: (*Mira el frasco.*) Son minúsculas. ¿Qué vale este frasquito?

---

[67] **estará** will be ready.
[68] **anda** come on!
[69] **Sea lo que sea** whatever it is.
[70] **en un alarde de precisión casi profesional** so expertly that it is almost professional.
[71] **listo** all finished!
[72] **de paso** while you are at it.

14

CECILIA: He echado la cuenta. Sale cada pastilla a más de diez
    duros.

MATILDE: (*Saca una y la mira.*) Vamos, el equivalente de una
    sopa, dos platos y postre en un restaurante de segundo
    orden.

CECILIA: No hay proporción.[73]

JORGE: Realmente, no. (*Se levanta.*) ¿Se marcha, suegra?

MATILDE: Sí, tengo sesión hoy.

JORGE: ¿De qué?

MATILDE: De la Junta Depuradora de Espectáculos y Costum-
    bres. Ya sabes que me nombraron vocal hace un mes.

JORGE: Es verdad.

MATILDE: Así que no te hagas ilusiones;[74] vuelvo en seguida.

JORGE: Adiós, Matilde; gracias por todo. (*Mutis derecha.*)

MATILDE: En realidad, quien tiene peor cara de los dos eres tú.

CECILIA: Es posible; apenas si he dormido.

MATILDE: Pues mira, niña; nada de andarse con bobaditas,[75] y no
    desnudemos un santo por vestir otro.[76]

CECILIA: No te preocupes, mamá.

MATILDE: Bueno, bueno. Y escucha, Cecilia. (*Se cerciora de
    que Jorge se fué y cierra entonces la puerta.*) Lo que
    voy a decirte es desagradable y puede que tú lo creas
    hasta de mal gusto. Sin embargo . . .

CECILIA: ¿A qué te refieres?

MATILDE: Todos podemos llegar a los cien años, aunque yo,
    como es natural, no los confesaría nunca, y ojalá [77]
    Jorge lo consiga; pero tenemos el deber de arreglar
    nuestras cosas como si hubiésemos de faltar al día
    siguiente.

CECILIA: ¿Qué me quieres dar a entender? [78]

[73] **No hay proporción** There's no comparison.

[74] **no te hagas ilusiones** don't raise your hopes.

[75] **nada de andarse con bobaditas** let's have no nonsense.

[76] **no desnudemos un santo por vestir otro** don't let us save one to lose
another.

[77] **ojalá** *expresses a very strong wish, and is derived from the Arabic "in
sha'llah", meaning "Allah grant that". The effects of almost eight cen-
turies of Arab domination in Spain are reflected in many aspects of Spanish
civilization.*

[78] **¿Qué me quieres dar a entender?** What are you trying to tell me?

MATILDE: Yo no sé a nombre de quién está "El Tomillar," si al de tu marido, o al de los dos, o al de su hija . . . , ni la cuenta del Banco . . . Ni sé tampoco si tiene hecho testamento, y me parece a mí que, dentro de unos días, será sensato que trates de averiguarlo y que le insinúes . . .

CECILIA: Mamá, ¿me haces el favor de callarte?

MATILDE: Sí, sí . . . Contaba con esa reacción, hijita mía: "Ya está mamá, tan indelicada como siempre, tan metalizada, con sus consejos cínicos de costumbre." Bueno, pues no me importa nada de lo que digas, porque mi deber por encima de todo, y yo tengo una experiencia que tú no tienes, y estoy harta de ver casos desagradabilísimos, ¿te enteras? ¿Y por qué? Siempre por lo mismo, por el descuido, por creerse inmortales; y no lo somos, hija, sino de barro y muy débil, porque "hablar de estas cosas trae mala suerte" . . . ¡Bobadas! Y el día menos pensado le pasa a uno una desgracia, y se marcha al otro mundo dejando un lío en éste que no hay quien lo arregle, y a la viuda y a los hijos devorados entre los impuestos y la gente de curia.

CECILIA: Mira, mamá, eso a quien le importa es a mí. Y a nadie más.

MATILDE: Ay, no hijita; te equivocas. Y a mí, que soy tu madre, y sintiéndolo mucho, todo menos lo que se llama una viuda rica.[79] Con unas rentitas muy mermadas y con una pensión que . . . bueno, para qué hablar . . . Sólo te digo que, cada vez que viene el habilitado[80] a traerme doscientas treinta y seis pesetas con quince céntimos, como un obsequio que me hace el Estado por haber aguantado a tu padre, consulado de Tegucigalpa[81] inclusive, veinte años, me entra una risa nerviosa tal, que he de tomar un calmante.

[79] **Y a mí, que soy tu madre, y sintiéndolo mucho, todo menos lo que se llama una viuda rica** It is of great concern to me, firstly, because I'm your mother, but especially because I'm anything but a rich widow.

[80] **habilitado** paymaster (*in Spain: an agent employed by certain persons to look after the payment and delivery of their retirement pension cheques, etc.*).

[81] **Tegucigalpa** *capital of Honduras*

16

CECILIA: Ya sabes que no me gusta oírte hablar así de papá.

MATILDE: Cecilia, ten el orgullo de ser la hija del caballero más grande que ha existido nunca, pero la pesadumbre de serlo también del mayor pelmazo que se ha conocido en lo que va de siglo.[82] Bueno. Y no divaguemos. Te decía que . . .

CECILIA: Sí, ya lo sé, mamá. Y óyeme de una vez. Si lo que temes es que yo pueda complicarte la existencia, estate tranquila, porque eso no sucederá nunca. Y aunque la imprevisión de Jorge me trajese algún trastorno, cosa que sé que no ha de ocurrir, te equivocas si crees que yo tengo alma para irle a hablar ahora del testamento, de las cuentas corrientes y de todas esas mezquindades.

MATILDE: Ya se disparó la niña, claro. Me esperaba la rociada. Es precioso oírte . . . Lo que yo no sé es lo que pensará de todo esto su hijita Amalia, y, mira, me gustaría saberlo.

CECILIA: No creo que te dé la razón.

MATILDE: Pues te diré que la chiquilla, que es de armas tomar, dicho sea de paso, tiene más sensatez que tú y ve las cosas como son y no con esos ridículos escrúpulos, tuyos.

CECILIA: Conforme, mamá. Yo hago lo que me parece bien.

MATILDE: Y no te enfades. Nada de ponerse así,[83] como si te propusiese un atraco en el Banco de España . . . Cualquiera con sentido común me daría la razón, que [84] la tengo, hasta decir basta.

CECILIA: Bien. De acuerdo.

MATILDE: (*Al borde del mutis.*) ¡Ah, por cierto! . . . Con las prisas, he salido de casa sin un céntimo y pensaba comprar unas cosas . . . ¿Podrías dejarme algún dinero?

CECILIA: (*La mira escrutadora.*[85]) ¿Cuánto, mamá?

MATILDE: (*Un poco turbada.*) Mil pesetas.

CECILIA: (*Busca en el bolso que dejó en el sofá al entrar.*) Tómalas.

---

[82] **en lo que va de siglo** since the beginning of the century.
[83] **Nada de ponerse así** Don't act like that.
[84] **que** *see note 25.*
[85] **escrutadora** inquiringly. *Predicate adjectives sometimes take the place of adverbs.*

MATILDE: Muchas gracias, hija.

CECILIA: ¿Sigues jugando al póker?

MATILDE: ¡Bah! De Pascuas a Ramos[86] . . . No creerás que este dinero te lo pido por eso.

CECILIA: Saturnina me contó que, el último jueves, tuviste una mala racha.

MATILDE: También la tal Saturnina,[87] podía meterse en sus asuntos y dejarnos en paz. La verdad es que lo mismo encuentra tiempo para chismorrear que para ponerse en ridículo con Pedrito Atienza, quince años más joven que ella y treinta y cinco que su marido . . . Caramba con Saturnina . . .[88]

CECILIA: No la hagas y no la temas.[89]

MATILDE: ¿Sabes lo que me pasó el jueves ese del demonio?[90] Full de ases[91] de mano, hija mía, que yo no sé si tú te das cuenta de lo que es eso; pero, después de la salud, es lo mejor que puede mandarle a una la Providencia. Y Juana Torrente, que habla con las brujas,[92] roba cuatro cartas y liga póker de reyes.[93] Andrés, su hermano, profesor de la Escuela de Caminos, nada menos, tiró de lápiz y calculó que había doce mil probabilidades de ganar contra una. Me jugué lo que tenía delante. Y si hubiera tenido las minas del rey Salomón, me las juego lo mismo.[94] Doce mil probabilidades, ¿comprendes?

CECILIA: Sí, mamá, sí; comprendo.

MATILDE: Y no me riñas como si fuera una inconsciente, que el póker no es para mí un censo, sino una rentita, y saneada. Más puedes jugarte tú, si te descuidas.

---

[86] **De Pascuas a Ramos** Very rarely.

[87] **la tal Saturnina** that Saturnina!

[88] **Caramba con Saturnina** That Saturnina needs watching!

[89] **No la hagas y no la temas** (*proverb*) *here* Don't do it (*i.e.* don't play poker) and you won't need to worry (about Saturnina).

[90] **el jueves ese del demonio** that wretched Thursday.

[91] **Full de ases** (*poker*) full house of aces (i.e. three aces and a pair, *e.g.* two tens, two fives, etc.).

[92] **habla con las brujas** talks with the witches, *or* is psychic.

[93] **roba cuatro cartas y liga póker de reyes** takes four cards and wins the trick with four kings.

[94] **me las juego lo mismo** I would have gambled them too.

CECILIA: (*Cortante.*) Ya basta ¿no?

MATILDE: Bueno, bueno, no te sofoques. Por tu bien te hablo. Piensa lo que te he dicho.

CECILIA: ¡Mamá. . . !

MATILDE: Pues no pienses. (*Se va por la izquierda. Cecilia se dispone a recoger la jeringuilla de la inyección y guardarla en su estuche. Romualdo aparece por la izquierda.*)

ROMUALDO: Señora, ahí está el señor cura de ayer.

CECILIA: No . . . Es maravilloso . . . Que espere un momento. (*Mutis de Romualdo por la izquierda.*) ¡Jorge!

JORGE: (*Desde dentro.*) ¿Qué hay?

CECILIA: Ven, haz el favor. Tienes una visita.

JORGE: ¿Quién es?

CECILIA: Hoy por la mañana, cuando salí de casa, intenté dar con el cura que te atendió ayer y no pude conseguirlo. Quería que ya, más tranquilo, hubieses vuelto a hablar con él. Me pareció que eso haría bien a tu alma, a la que conviene un repasito, ¿no crees? Y fíjate, se presenta aquí espontáneamente. ¿Es un milagro, verdad?

JORGE: Tanto como un milagro [95] . . . En lo que tú fracasaste, Romualdo acertó, Cecilia. Yo le había dicho que le buscase. Si está en casa es por eso . . .

CECILIA: ¿Eres tú entonces quien se lo pidió? ¿Ves cómo, de una o de otra manera, milagro sí [96] lo hay?

JORGE: A tu gusto, Cecilia.

CECILIA: (*Se asoma por la izquierda.*) Romualdo, hágale pasar. Abrázame, Jorge. (*Le abraza, en efecto.*)

(*Y el señor cura, DON ANGEL BERNARDEZ, entra por la izquierda. Es un cura rural. Viste una vieja sotana y un viejo manteo. Lleva un desteñido sombrero de teja y un gran paraguas. Tiene un aire a la vez tierno y apicarado. Se comprende que es malicioso y hasta burlón, pero inspira confianza porque se advierte en seguida lo que hay en él de insobornable y de bondadoso. En realidad, don Angel Bernárdez es un cura gallego. Desempeña su ministerio en un pueblecito de la provincia de*

---

[95] **Tanto como un milagro** Oh yes, quite a miracle (*ironical*).

[96] **sí** *see note* 63.

Orense,[97] y un poco de acento regional no le irá mal del todo. Imprescindible, sin embargo, no es. Y si el actor se siente inseguro y teme dar una versión heterodoxa de ese delicado acento, deberá preferir el suyo propio.)

JORGE: (Muy efusivo.) ¿Cómo está usted, padre?

ANGEL: Buenos días . . . ¿Es su señora?

JORGE: Sí.

ANGEL: Gusto de conocerla. Mucho la llamaba ayer . . . el enfermito.

JORGE: Me alegra que se lo diga usted, padre.

CECILIA: ¿Verdad que no tiene mérito acordarse de Santa Bárbara cuando truena? [98]

ANGEL: No me produce esa impresión su marido. Claro que ayer tronaba lo suyo . . .[99]

JORGE: Siéntese usted, padre. Se fué tan de repente, que no pude darle las gracias. Además, ignoraba hasta su nombre.

ANGEL: Yo soy el párroco de Puebla de Trives, ¿sabe? Ahí; en la provincia de Orense. Y todos me llaman don Angel. Angel Bernárdez es mi nombre, para servirle.[100]

JORGE: ¡Ah! Bien me sirvió, padre.

CECILIA: ¿Y dónde le encontraron a usted?

ANGEL: (Romualdo, que vuelve por la izquierda, recoge el paraguas y hace ademán de llevárselo. Angel no puede evitar una mirada de alarma). ¿Es que . . . se lo va a llevar usted?

ROMUALDO: Iba a dejarlo en el perchero. Pero si prefiere . . .

ANGEL: No, no, lléveselo . . . Es que yo . . . , sin mi paraguas . . . , ando como a la pata coja.[101]

CECILIA: Hoy es un día de primavera, padre.

ANGEL: La costumbre, señora. Allá, por mi parroquia, no se puede fiar uno. Llueve siempre.[102]

[97] **Orense** *region of Galicia.*

[98] **acordarse de Santa Bárbara cuando truena** to remember God only when one is in trouble. *Santa Bárbara is the patron saint of artillery.*

[99] **tronaba lo suyo** the guns were certainly thundering!

[100] **Angel Bernárdez es mi nombre, para servirle** *a formal way of introducing oneself, especially in rural areas.*

[101] **como a la pata coja** as if I were hopping along on one foot.

[102] **Llueve siempre** It's always raining. *Mountainous Galicia, with its frequent mists and rain, has a climate similar to that of Scotland.*

20

CECILIA: ¿Y aquí se encuentra usted a gusto?

ANGEL: Le estoy de paso.[103] Politiquerías. Yo hago mucha politiquería . . . La verdad es que la he hecho siempre . . . Algunos me lo reprochan, no crea usted.[104] Este curita, siempre con el que manda . . . Lo pretendo, ¿por qué negarlo? Ahora, no por aprovecharme, se lo aseguro, que yo vivo del aire si es preciso, sino por hacer el bien.

JORGE: Luego usted, ¿no reside en Madrid habitualmente?

ANGEL: ¡Qué va! Había venido a ver si conseguía que dieran un empujón a las obras del pantano de la Loira.

CECILIA: ¿Hay poca agua por Puebla de Trives?

ANGEL: De arriba abajo,[105] toda la que quiera. De los grifos, ya sale menos . . . Pero no era por eso, no. Es que en el pantano trabajan muchos mozos de la parroquia que viven en unas chabolas. El pantano queda a diez kilómetros de la iglesia, y los domingos no hay quien los traiga a misa. En cambio, apenas tocan los Quirotelvos,[106] todos los kilómetros les parecen pocos con tal de bailar . . .[107] Estos mozos de ahora . . . En resumen: que [108] la única manera de que vengan a misa es que se acabe el pantano.

JORGE: ¿Y le han dado buenas impresiones? [109]

ANGEL: Mire, malas impresiones no hay quien las dé. La papeleta me la sé de memoria. Parece que ya eran buenas las que le dieron a mi predecesor Montero Ríos. Pero, en fin, la esperanza es lo último que se pierde.

CECILIA: Y ayer . . . , ¿cómo fué que usted . . . ?

ANGEL: Yo cruzaba la calle cuando salía la muchacha. Me vió, me contó lo que pasaba y subí en seguida. Pues no

---

[103] **Le estoy de paso** I'm only here for a short time.

[104] **no crea usted** you can be sure of that.

[105] **De arriba abajo** from overhead.

[106] los **Quirotelvos** *a small group of musicians which tours the villages of Galicia to provide dance music at the local festivals.*

[107] **con tal de bailar** provided they can dance.

[108] **que** *do not translate.*

[109] **¿Y le han dado buenas impresiones?** And did they give you any hope?

faltaba más. Esta mañana me dieron el recado. Y aquí me tiene, muy contento de ver tan animoso y tan sano a nuestro enfermo.

CECILIA: ¡Qué simpático! Padre, voy a servirle una copita de jerez. ¿Quiere?

ANGEL: No se moleste usted, señora.

CECILIA: No es molestia ninguna. ¿Le gusta a usted?

ANGEL: Mire, ya en confianza. Prefiero un vasito de vino tinto. Soy un descarado, ¿verdad?

CECILIA: No, padre, no.

ANGEL: No lo puedo remediar. Le tengo manía al jerez. Cosas de viejo. En cambio, del vino tinto soy bastante buen amigo. Las monjitas [110] de La Puebla aún no se han dado cuenta de esto, y cuando voy a visitarlas, ¡paf!, la copita de jerez. Mi venganza consiste en echarles unas avemarías de más a la hora de la penitencia.

CECILIA: Adelante con el vino.[111] (Y se va por la derecha.)

JORGE: (Conmovidamente.) Padre, lo de ayer fué providencial. Necesito hablar con usted.

ANGEL: Pues aquí me tiene a su disposición para cuanto guste, hijo mío.

JORGE: Sí, sí, he de hablarle . . . A nadie mejor que a usted.

ANGEL: Como quiera.

JORGE: Es Dios quien le envía.

CECILIA: (Por la derecha.) Veamos qué le parece, padre. (Trae una botella y unas copas.)

ANGEL: Mucho ojo, señora. Soy un perito en la materia, aunque me esté mal el decirlo.

CECILIA: ¡Huy, es para echarse a temblar entonces! [112]

ANGEL: ¿Usted no bebe, señora?

CECILIA: Por no dejarle solo.[113]

ANGEL: Pues . . . a la salud de nuestro enfermo.

JORGE: Me gustaría corresponderle de la misma manera, pero, al parecer, no me conviene.

---

[110] monjitas *the diminutive here implies affection.*

[111] **Adelante con el vino** Let's get the (red) wine, then.

[112] **es para echarse a temblar entonces** that's enough to make me shake in my shoes!

[113] **Por no dejarle solo** (I'll have a drink) so that you won't have to drink alone.

ANGEL: (*Bebe su copa.*) ¡Caramba, qué rico! Beberé otra por usted.

CECILIA: Le mandaré a su parroquia unas cajas. Lo traen de "El Tomillar", una finca nuestra ¿Me lo permite?

ANGEL: Ya lo creo que se lo permito . . . Y muy reconocido. Lo utilizaré como arma secreta para mi apostolado.

CECILIA: ¿Ah, sí?

ANGEL: A más de uno y de dos, que andan bastante descarriados,[114] les meteré en casa con el aquel del vino . . .[115] Y acabarán hincando el pico [116] y yendo a misa, como me llamo Angel.[117]

CECILIA: Pues cuente con mi ayuda.

JORGE: Y ahora, Cecilia, ¿te importaría dejarme que hablase unos minutos con el padre?

CECILIA: De ninguna manera. Al contrario. (*A don Angel.*) Es muy bueno . . . , sólo que si viviese en su parroquia sería de los que usted tendría que convidar a su casa . . . Adiós, padre.

ANGEL: Usted lo pase bien, señora. (*Mutis Cecilia por la derecha. Pausa.*)

JORGE: Padre, de haberme muerto ayer,[118] ¿me habría salvado?

ANGEL: Hombre . . . , eso nadie lo puede decir; pero si su deseo de confesar sus pecados era sincero, ¿por qué iba a faltarle la Bondad Divina?

JORGE: Su absolución era la que me abría esas puertas. ¿no?

ANGEL: Y su contrición . . . y su propósito de enmienda . . . , todo junto.

JORGE: *Sub conditione* . . . , ¿fué así como me absolvió usted?

ANGEL: Justo.

JORGE: De mis crímenes, si alguno he cometido; de mis deberes con la Iglesia incumplidos, de mi falta de caridad . . .

ANGEL: (*Gravemente.*) De todo, hijo mío.

JORGE: Pero una vez pasado el peligro de muerte, si yo quisiera convalidar aquella absolución y le contara a usted, arro-

---

[114] **andan bastante descarriados** are going a bit astray.

[115] **les meteré en casa con el aquel del vino** I shall put them back on the right road with that wine.

[116] **hincando el pico** giving in.

[117] **como me llamo Angel** or my name isn't Angel.

[118] **de haberme muerto** see *note* 57.

dillado en su confesonario, todas mis culpas, acaso usted, antes de dármela, exigiría de mí . . . , no sé cómo explicarle . . . , pruebas de que mi arrepentimiento era sincero. ¿Verdad, padre?

ANGEL: Probablemente; pero explíquese . . .

JORGE: Por ejemplo: si resultase que yo tenía otro hogar, otra mujer con la que me uniese una relación ya antigua . . . Usted me exigiría romper con ella, ¿no?

ANGEL: (*Le mira indagadoramente.*) Claro . . .

JORGE: No me mire usted de esa manera, don Angel. Ese no es mi caso. Estoy enamorado de mi esposa, y sólo ella me interesa.

ANGEL: Ya lo supongo.

JORGE: Y si yo le hubiese dicho: Padre, esta casa, estos muebles, "El Tomillar", nada es mío. Todo es el fruto de un despojo, de un fraude inaudito, de un robo, vaya, ¿a qué andar evitando esa palabra? [119] ¿Qué me habría contestado usted?

ANGEL: (*Atónito.*) Pero, hijo mío . . .

JORGE: ¿Me habría absuelto? Contésteme . . . O me habría exigido antes . . .

ANGEL: (*Le ataja.*) Su restitución.

JORGE: Justo. Dar a su dueño lo que es suyo; dárselo sin regateos, sin excusas, ¿verdad?

ANGEL: Sí.

JORGE: Pues ése es mi caso, padre. Nada de cuanto tengo me pertenece: lo he robado, ¿me comprende usted?, lo he robado. (*Dobla una rodilla en tierra.*) ¡Y yo quiero ser absuelto!

TELON

[119] **A qué andar evitando esa palabra?** Why try to avoid that word?

CUESTIONARIO

11. ¿Quién es Gervasio Quiroga?
12. ¿Cuál es la opinión de Alejandro sobre Gervasio Quiroga?
13. ¿Por qué no es Gervasio Quiroga persona de buenos antecedentes?
14. ¿Por qué y dónde tendrá que preguntar Alejandro las señas de Gervasio Quiroga?
15. ¿Hay algún parentesco entre Jorge y Gervasio Quiroga?
16. Localice geográficamente la ciudad de Badajoz.
17. ¿Por qué debe telefonear Alejandro para saber las señas de Quiroga?
18. ¿A causa de qué se queda Jorge impresionadísimo?
19. Describa usted a Matilde.
20. ¿Por qué cree Alejandro que Jorge no debe tener visitas?

Páginas 11–15
1. ¿Para qué y por qué prepara Cecilia la inyección?
2. ¿Qué se dicen Matilde y Jorge acerca del teléfono?
3. ¿Cuáles son los efectos de la enfermedad de Jorge entre los de su quinta?
4. ¿Cuáles son los consejos de Cecilia?
5. ¿Qué idea tiene Jorge de su propia manera de ser?
6. ¿Cuáles son las cosas que Jorge puede hacer a su edad?
7. ¿Qué otras cosas dicen a Jorge que es un hombre maduro?
8. ¿Qué cosas han cumplido ya los cuarenta años, según Cecilia?
9. ¿Qué le parece su marido a Cecilia?
10. ¿Qué opina Jorge de su corazón y cuál ha sido su advertencia?
11. ¿Qué teme Cecilia sobre la reacción de Jorge a sus palabras?
12. ¿Qué ha comprendido Jorge después del aviso que ha recibido?
13. ¿Por parte de quiénes ha recibido Jorge el aviso?
14. ¿Cuál era la actitud de Jorge hacia Dios cuando estudiaba en los jesuitas?
15. ¿Cuál es la ocasión maravillosa de Cecilia?
16. ¿Qué es lo más tranquilizador, según Matilde?
17. ¿A qué equivale el valor de cada pastilla, según Matilde?
18. ¿A qué organismo pertenece Matilde y qué cargo ocupa en él?
19. ¿Por qué no tiene que andarse con bobaditas Cecilia?

Páginas 15–19
1. ¿Cuál es nuestro deber aunque lleguemos a los cien años?
2. ¿Qué no sabe Matilde sobre Jorge y Cecilia?
3. ¿Qué explicaciones da Matilde a Cecilia cuando ésta le pide que se calle?
4. ¿Por qué le importa a Matilde la situación económica de Cecilia?

26

5. ¿Cómo era el padre de Cecilia?
6. ¿Por qué no quiere obedecer Cecilia?
7. ¿Qué piensa Amalia de todo esto?
8. ¿Cuál es la actitud de Cecilia ante los consejos de su madre?
9. ¿Cómo termina la discusión entre madre e hija?
10. ¿Qué juicio le merece Saturnina a Matilde?
11. ¿Qué le sucedió a Matilde el jueves del demonio?
12. ¿Por qué creía Matilde que tenía doce mil probabilidades de ganar?
13. ¿Qué idea tiene Matilde del póker?
14. ¿A quién se debe el que el sacerdote vuelva a visitar a Jorge?
15. ¿Por qué le parece a Cecilia tan maravillosa la presencia del cura en su casa?
16. ¿Qué dice Cecilia cuando Jorge le descubre la verdad?
17. ¿Cuál es la verdadera razón de la alegría de Cecilia?

Páginas 20–24
1. ¿Cómo sabe el sacerdote que Jorge quiere a Cecilia?
2. ¿Qué dice don Angel sobre su propia persona?
3. ¿Qué están construyendo junto al pueblo de donde don Angel es párroco?
4. ¿Por qué tiene don Angel siempre consigo el paraguas?
5. ¿Cuáles son las ideas de don Angel?
6. ¿Por qué se encuentra don Angel en Madrid?
7. ¿Cuál es la verdadera razón para que quiera que terminen pronto el pantano?
8. ¿Qué piensa de la terminación rápida del pantano?
9. ¿Qué sucedió para que don Angel subiese a ver a Jorge cuando su ataque?
10. ¿Por qué prefiere don Angel un vasito de vino tinto?
11. ¿Por qué piensa Jorge que su enfermedad repentina fué providencial?
12. ¿Por qué conoce don Angel tanto de vinos?
13. ¿Qué uso dará el cura al vino de "El Tomillar" que le promete enviar Cecilia a su parroquia?
14. ¿Qué tendría que hacer don Angel si Jorge viviese en su parroquia?
15. ¿Qué cree Jorge que el sacerdote exigiría una vez pasado el peligro de muerte?
16. ¿Cuál es el terrible pecado de Jorge Hontanar?
17. ¿Qué es necesario para que don Angel absuelva a Jorge?
18. ¿Cuáles son las intenciones de Jorge bajo el peso de su pecado?
19. ¿Por qué parece que Jorge habla a don Angel con verdadero arrepentimiento?

parte I

cuadro

segundo

**La escena es la misma del cuadro anterior. Han transcurrido
tres días desde la terminación del primero.**

(*Al levantarse el telón,* ALEJANDRO *está en escena.* AMALIA *entra
por la lateral derecha.*)

ALEJANDRO: Buenos días, Amalia.

AMALIA: Hola, Alejandro.

ALEJANDRO: ¿Cómo va ese noviazgo?

AMALIA: Muy bien. Buscaba a Romualdo . . . ¡Ah, aquí está!
(*Se dirige a él.*) ¿No hay nada para mí?

ROMUALDO: Nada, señorita.

AMALIA: Pero habían llamado a la puerta ahora mismo.

ROMUALDO: Era una factura . . . No se preocupe, señorita: ya
sabe que siempre le entrego las cartas en el acto.

AMALIA: No es una carta lo que espero . . . ¿Qué hora tienes,
Alejandro?

ALEJANDRO: Son las doce . . . casi. ¿Aguardas a Juan?

AMALIA: Sí.

ALEJANDRO: ¿Venía en tren?

AMALIA: No; había salido en coche a las ocho.

ALEJANDRO: Demasiado pronto me parece que cuentas con él.
(*Se oye un timbre en la lateral izquierda.*)

28

AMALIA: Llaman, Romualdo.

ROMUALDO: En seguida.

(*Mutis de Romualdo por la izquierda. Amalia se asoma, llena de nervosismo. Al cabo de unos segundos hace un gesto de desencanto.*)

ALEJANDRO: ¿Qué? ¿Otra factura?

AMALIA: ¡Qué sé yo! . . . En todo caso, no es Juan. (*E inicia el mutis por la lateral derecha. JORGE se cruza con ella.*)

JORGE: ¿Qué te pasa, Amalia?

AMALIA: Nada, papá. Pero después he de hablarte. (*Mutis.*)

ALEJANDRO: Hola, Jorge. ¿Qué tal?

JORGE: Bien. ¿Abriste la caja fuerte?

ALEJANDRO: Sí.

JORGE: ¿Me traes lo que te pedí?

ALEJANDRO: (*Saca de la cartera de piel unos papeles.*) Sí. Aquí tienes la escritura. Hay también unos planos.

JORGE: Sí. Dámelos. Bueno, ¿qué sabes de Gervasio Quiroga? ¿O no has hecho la gestión que te encomendé? [1]

ALEJANDRO: Sí, no te exaltes.

JORGE: ¿Dónde está?

ALEJANDRO: Donde le corresponde.[2] En la cárcel de Badajoz. Ya te hablé de que se había metido en unos asuntos de contrabando. Hubo un soplo y lleva dos meses encerrado.

JORGE: ¿Cuándo sale?

ALEJANDRO: Dentro de una semana, creo.

JORGE: El mismo día que le pongan en libertad, quiero hablarle.

ALEJANDRO: ¿Piensas ir a Badajoz?

JORGE: No, no me atrevo. Sería una imprudencia. El, en cambio, puede venir a Madrid. Vas a escribir mañana mismo en mi nombre . . .

ALEJANDRO: Pero, Jorge . . .

JORGE: (*Cortante.*) De una vez por todas, te ruego, Alejandro,

---

[1] **¿O no has hecho la gestión que te encomendé?** Or have you not carried out the assignment I gave you? (*i.e. to find the address of Gervasio Quiroga and communicate with him*).

[2] **Donde le corresponde** Where he ought to be.

que en el tiempo que sigamos juntos, no discutas mis órdenes.

ALEJANDRO: Bien, bien.

JORGE: Vas a escribirle, a decirle que necesito verle para un asunto que le interesa, y como supongo que andará mal de dinero,[3] le envías dos mil pesetas a cuenta de los gastos de viaje. Encárgate del giro.

ALEJANDRO: Como gustes.

JORGE: Dile también que me avise su llegada.

ALEJANDRO: Perfectamente.[4]

JORGE: Y nada más. Mis señas, supongo que las conoce. Dáselas, por si acaso.

ALEJANDRO: Muy bien.

JORGE: Hasta mañana, entonces.

ALEJANDRO: Hasta mañana. (Se detiene.) Un momento, Jorge. A mí no me gustan las cosas a medias. Has dicho algo que, en otras circunstancias, ni me habría llamado la atención; pero en éstas, sí. "El tiempo que sigamos juntos" . . . ¿Es que piensas prescindir de mí?

JORGE: (Le mira un poco enigmáticamente. Se le acerca. Le aprieta el brazo.) Alejandro, mi querido Alejandro: mi vida va a ir por caminos distintos de los que siguió hasta hoy . . . Espero que, cuando llegue ese momento, sabrás comprender. Te consta que nunca te he ocultado nada. Perdóname si no puedo ser más explícito.

ALEJANDRO: Como gustes. Hasta mañana, Jorge.

JORGE: Adiós, Alejandro.

(Mutis de Alejandro por la izquierda. Jorge se queda unos segundos pensativo. AMALIA regresa por la derecha.)

AMALIA: ¿Estás solo, papá?

JORGE: Sí, hija.

AMALIA: ¿Y con cinco minutos libres?

JORGE: Y aun con diez. ¿Qué te pasa?

AMALIA: Ni nada grave ni nada que haya de sorprenderte mucho.

JORGE: Veamos.

AMALIA: Papá: estoy esperando a Juan.

---

[3] **andará mal de dinero** he will be short of money.
[4] **Perfectamente** Yes, certainly.

JORGE: ¡Ajá!

AMALIA: Ayer me telefoneó y me dijo que quería hablarte. (*Pausa.*) ¿Te imaginas de qué?

JORGE: Aproximadamente.

AMALIA: Juan desea casarse conmigo.

JORGE: Ya lo supongo. Y tú con él. ¿No es así?

AMALIA: Sí. Juan está a punto de llegar. Viene en coche . . . Y me ha preguntado si podría hablar contigo hoy por la tarde.

JORGE: (*La mira, a medias misterioso, a medias abstraído.*) No, hoy no.

AMALIA: ¿Por qué, papá?

JORGE: Tengo que ordenar unos asuntos.

AMALIA: ¿Mañana, entonces?

JORGE: (*En el mismo tono.*) Tampoco, Amalia.

AMALIA: No te entiendo . . . ¿Es que no piensas recibirle?

JORGE: ¿Quién dice tal cosa?

AMALIA: Juan se vuelve a marchar en seguida. No pretenderás hacerle un desaire. (*Jorge le replica con un gesto ambiguo.*) Escucha, papá. Tú rechazaste la invitación de su padre [5] para ir unos días a Valnueva. ¿Tiene esto que ver con tu actitud de hoy?

JORGE: Acaso sí.

AMALIA: ¿Te ha pasado algo con Juan? [6]

JORGE: Nada, hija mía, te lo aseguro.

AMALIA: Yo recuerdo que los primeros elogios que he oído de él fueron tuyos. ¿Qué ha podido suceder que te haya hecho cambiar de opinión?

JORGE: Nada, Amalia.

AMALIA: Juan está enamorado de mí y yo de él.

JORGE: Así lo supongo.

AMALIA: Si un día pareció que dudaba,[7] hoy ya no. Y piensa casarse. ¿A qué viene ahora esa actitud tuya?

JORGE: Cálmate, Amalia. Te equivocas si crees que Juan no me

[5] **su padre** *i.e. the father of Juan.*

[6] **¿Te ha pasado algo con Juan?** Has something happened between you and Juan?

[7] **Si un día pareció que dudaba, hoy ya no** If there *was* a time he wasn't sure (of his love for me), he is sure *now.*

merece las mismas simpatías que antes. Pero puesto que me pides explicaciones, con ese ímpetu, por cierto, con esa falta de respeto que demuestra tu pasión por él, te diré muy claramente que, hasta dentro de unos días, no le recibiré.

AMALIA: ¿Te opones a que sigamos adelante?[8] ¿A que nos casemos?

JORGE: No, Amalia. Te digo tan sólo que, de momento, no considero oportuno recibirle. (*Con súbita violencia.*) ¿O ha de ser Juan quien ha de fijar el día?

AMALIA: ¿Y qué excusa puedo darle?

JORGE: De mi parte,[9] ninguna. Si a ti se te ocurre alguna, dásela. Mi salud, por ejemplo.

AMALIA: Sabe de sobra[10] que estás bien.

JORGE: Pues inventa otra, si te apetece. (*Amalia le mira de hito en hito, no comprende lo que sucede. De pronto se echa a llorar.*) Pero, Amalia . . . ¿Se puede saber a qué vienen esas lágrimas?

AMALIA: ¿Y tú me lo preguntas? (*CECILIA aparece en la derecha.*)

CECILIA: ¿Qué sucede?

JORGE: Nada, nervios de Amalia.

AMALIA: (*Colérica.*) Tuya es la culpa. (*Y hace mutis por la derecha.*)

CECILIA: ¿Qué ha pasado?

JORGE: Cecilia: el novio de Amalia pensaba hablar hoy conmigo para informarme oficialmente de sus relaciones con mi hija. Yo le he dicho que aplace esa visita unos días.

CECILIA: ¿Te encuentras mal?

JORGE: No; pero mañana, pasado . . . o al otro,[11] necesito tomar una determinación muy seria. Y antes de que Juan la conozca me parece indelicado de mi parte el escucharle.

---

[8] **¿Te opones a que sigamos adelante?** Don't you want us to go ahead (with our plans)?

[9] **De mi parte** On my behalf.

[10] **Sabe de sobra** He knows full well.

[11] **pasado . . . o al otro** the day after tomorrow, or the day after that.

CECILIA: ¿Qué determinación? (*Jorge cierra las puertas.*) Me asustas, Jorge.

JORGE: Cecilia, durante muchos años he guardado dentro de mí un secreto grave. Mil veces he estado a punto de revelártelo. Tú sabes que te quiero . . . Si no, me habría sido menos difícil guardarlo. Pero cuando se quiere, eso se hace muy cuesta arriba.

CECILIA: (*Pálida.*) ¿De qué me hablas, Jorge?

JORGE: Sobre todo, en los primeros tiempos, esa carga me pesaba horriblemente. Lo que me dió fuerzas para soportarla fué el pensar que, acaso, librarme de ella podía costarme tu cariño. ¿Te acuerdas cómo nos conocimos, Cecilia?

CECILIA: Qué pregunta tan inútil, Jorge. ¿Cómo podría olvidarlo?

JORGE: ¿Qué sabías de mí cuando nos encontramos, tú, recién llegada de San Sebastián,[12] yo de vuelta del frente, con una licencia de dos semanas? . . . Que no era un cobarde. Te gusté, eso fué todo. Un oficialito,[13] con su aureola de héroe y de viudo, que tampoco es despreciable, mandaba mucho sobre el corazón de una chiquilla de veinte años. Y aquella Amalita [14] de 1938,[15] con su media lengua, con sus trencitas, con su aire desvalido, también era un tanto a mi favor. Por entonces se habló de que mi padrino me había dejado heredero de "El Tomillar". Yo era, en consecuencia, un hombre rico, que no tenía que temer a la vida, aunque me la jugase a diario.[16] ¿Sabías algo más de mí?

CECILIA: Cuando nos besamos la primera vez, ni eso siquiera.

JORGE: (*Se enfrenta a ella patéticamente.*) Hoy tampoco sabes nada, Cecilia. Yo he robado "El Tomillar".

CECILIA: ¿Qué dices, Jorge?

[12] **San Sebastián** *seaport and fashionable summer resort in the north of Spain, near the French border.*

[13] **oficialito** "dashing" young officer.

[14] **Amalita** little Amalia (*affectionate*). *Amalia is don Jorge's daughter by his first marriage.*

[15] **1938** *during the Civil War in Spain* (1936–1939).

[16] **me la jugase a diario** I was risking it every day (*while fighting*).

33

JORGE: Mi padrino no hizo testamento a mi favor.

CECILIA: ¿Cómo?

JORGE: Yo entré en Badajoz con las fuerzas que lo ocuparon.
Mi padrino había sido asesinado pocas semanas antes.
Fuí al pueblo donde vivía . . . Acababan de encarcelar
al oficial de la notaría, cómplice de no sé cuántas mons-
truosidades cometidas durante el mando rojo.[17] El me
contó que, en su testamento, mi padrino nombraba
heredero de sus bienes a Gervasio Quiroga, un hijo
natural suyo. "Pero eso podía arreglarse"—me insinuó,
comprendiendo que su suerte estaba en mis manos.
Era lo que me ofrecía, a cambio de su libertad y de su
vida. Accedí. Lo arregló, en efecto; tal vez no era demasiado difícil. Los testigos habían desaparecido . . .

CECILIA: (Anonadada.) ¡Jesús! [18]

JORGE: Jamás se ha quitado a nadie nada suyo [19] con más im-
punidad. Que mi padrino tuviera un hijo natural, pocos
lo sabían; que su heredero fuera yo, su ahijado, ¿a quién
iba a sorprenderle? "El Tomillar" pasó a mis manos de
la manera más sencilla del mundo. Si yo te hubiese
contado todo esto al conocerte, me habrías rechazado.
Por eso callé, porque te perdía si te lo confesaba.[20] Mala
cosa es llevar tanto tiempo el peso de ese secreto dentro
de uno, pero peor sería haberte perdido.

CECILIA: ¡Qué espanto! [21]

JORGE: Ahora . . . , no sé . . . , me parece que nos unen muchos años de vida juntos y que tú podrás encontrar,
para perdonarme, razones que antes no existían. Ahora
a ti te interesa también el perdonarme, Cecilia. Has de

---

[17] **rojo** Red, *name given by the Nationalists to the opposing forces during
the Civil War.*

[18] **¡Jesús!** Heavens! (*this exclamation is not considered irreverent in
Spanish*).

[19] **Jamás se ha quitado a nadie nada suyo** Never has anything been
taken from anyone (*do not translate "suyo"*). *Negative forms are used
even when the negative is merely implied.*

[20] **te perdía si te lo confesaba** *The imperfect, in the first case, takes the
place of the conditional perfect (habría perdido), and in the second, of
the imperfect subjunctive (confesara, confesase).*

[21] **¡Qué espanto!** How awful!

vencer tu desprecio hacia mí, porque si no, nuestra felicidad sería imposible. Yo te he mentido, no sólo por lo que oculté, sino porque me he presentado ante ti distinto a como era, como un hombre digno, y no lo soy.

CECILIA: Pero Jorge, pero Jorge . . . (*Oculta la cabeza entre las manos.*)

JORGE: Cecilia . . .

CECILIA: (*Le rechaza.*) ¡Déjame! Es verdad. Me has engañado. Si [22] me cuesta trabajo creer lo que me estás diciendo. Necesito oírte, Jorge, para convencerme; si me lo hubieras escrito, juraría que alguien había falsificado tu letra . . . Porque es como verte viejo de pronto . . . Y peor aún, porque cuando seas viejo serás tú mismo. Y ése del que me hablas, ése que hizo esa . . . villanía no eres tú, sino otro, con el que no tengo nada que ver y al que no he hablado en mi vida. ¡Claro que me hubieses perdido! ¡No te equivocas, no! (*Transición.*) ¿Qué te pasó? ¿Qué ángel malo te inspiró esa monstruosidad, Jorge?

JORGE: La fábrica de que vivíamos había sido destruída por completo. Yo pensaba con inquietud: si una bala me quita de en medio, ¿qué será de mi hija? "El Tomillar" me dejaba tranquilo. Además, Gervasio Quiroga era, aunque solapadamente, un enemigo. "El Tomillar" me pareció botín de guerra. ¡Ah!, si te hubiese conocido ya, no lo habría hecho, te lo juro. Tú me habrías defendido de la tentación con tu sola presencia. Porque todo lo que he procurado, desde que te conozco, es ser digno de tu cariño, ganarte a pulso, a fuerza de limpieza.

CECILIA: ¡Ay, Jorge! ¿Cuál de los dos es el hombre al que yo he querido? ¿Este, que ha estado junto a mí hasta hoy y que yo creía el mejor del mundo, o ese otro capaz de las cosas horribles que me has contado? ¿Cuándo has sido más verdadero, más tú mismo? ¡Ah! ¿Te das cuenta, Jorge, del daño que me has hecho? Ya no sé lo que manda en ti, si lo bueno o lo malo, y cómo juzgarte, si

[22] **Si** *used here for emphasis.*

35

por lo que has hecho de bueno en quince años de matrimonio o de malo, en un momento de tu vida anterior.

JORGE: Júzgame como quieras, Cecilia. Sé que toda la razón está de tu parte.

CECILIA: Y lo curioso es que aún no te he preguntado . . . ¿por qué, si callaste tanto tiempo, has confesado ahora? ¿Qué sucede? ¿Te han descubierto? Ha habido alguna denuncia? (*Se acerca a él, temerosa de que algún riesgo le amenace, como si su amor la empujase a protegerle por encima de todo.*)

JORGE: No, nada de eso (*Sarcástico.*) Mi despojo fué una obra maestra. Sólo los muertos podrían descubrirlo y es poco probable que lo hagan.

CECILIA: ¿Y Gervasio Quiroga no sospecha? Parece extraño que tu padrino no le hubiese dicho nada en vida. ¿Nunca habló contigo Gervasio?

JORGE: Sí, algunas veces; pero de eso, jamás.

CECILIA: Bien fácil sería que alguien le hubiese ido con la historia. "El Tomillar" era demasiado importante para que no se hiciesen comentarios en un pueblo pequeño . . . Gervasio ha tenido que saber, forzosamente, lo que pensaba su padre, aunque no viviese a su lado ni fuese muy conocido su parentesco. ¿Es posible que nunca te haya dicho una sola palabra?

JORGE: Te repito que ni una sola.

CECILIA: Entonces, ¿no temes nada de él?

JORGE: Nada.

CECILIA: ¿Y de los otros?

JORGE: Cecilia, no hay más que muertos en todo este asunto. Muerto mi padrino, el oficial de la notaría, los testigos . . . En aquel pueblo de Extremadura, la guerra civil dejó pocos supervivientes.

CECILIA: Y si nadie te amenaza, ¿por qué has roto tu silencio?

JORGE: (*Sombrío.*) Dios me amenaza.

CECILIA: ¿Dios? . . . Escucha, Jorge. Yo sé bien lo que es Dios para ti. Una sombra, un nombre que usas de cuando en cuando, pero en el que no crees.

JORGE: Ya no es así. Le he visto muy de cerca y he aprendido a temerle.

CECILIA: ¿Qué quieres darme a entender?

JORGE: Durante muchos años Dios ha sido para mí eso que tú dices: un lugar común, una referencia . . . Desde hace unas horas, todo ha cambiado en mí. Era mi vida la que perdía, pero era a Él a quien encontraba en aquel pozo sin fondo donde caía. Vi a Dios casi físicamente. Por eso sé lo amenazado que estuve de morir.[23]

CECILIA: ¡Ay, Jorge . . . ; ay, Jorge!

JORGE: De pronto, no sé por qué—tú me hablabas de mis años de colegio hace poco, ¿recuerdas?—me vinieron a la memoria unos versos que recitábamos, como una oración, casi a diario y que me llenaban de miedo entonces. Oyelos, Cecilia. ¿No es espantoso lo que dicen?:

> Yo, ¿para qué nací? Para salvarme.
> Que tengo que morir es infalible.
> Dejar de ver a Dios y condenarme
> triste cosa será, pero posible.
> ¿Posible, y río y duermo y quiero holgarme?
> ¿Posible y tengo amor a lo visible?
> ¿Qué hago, en qué me ocupo, en qué me encanto?
> Loco debo de ser, pues no soy santo.

¡Ah, Cecilia, te lo aseguro! Sentí el mismo miedo que cuando los oí la primera vez o mayor todavía. ¿Me comprendes?

CECILIA: Sí, Jorge, sí.

JORGE: Me prometí a mí mismo que, si me libraba de aquel trance, rectificaría mi conducta pasada. Entendí mi ataque como un aviso providencial que se me daba a mí y que no se da a todos, ni se da siempre, de arrepentirme, más concretamente aún, de salvarme. Y no quiero desoírlo. Por eso pedí a don Angel que volviese a verme.

CECILIA: ¿Qué piensas hacer, Jorge?

JORGE: Lo necesario para que se me absuelva. Pero antes he de

---

[23] **lo amenazado que estuve de morir** how close I was to death.

saber si cuento contigo, si estás a mi lado de todo corazón y dispuesta a ayudarme.

CECILIA: Yo . . .

JORGE: Escúchame, Cecilia: dame fuerzas para que esa resolución que tomé cuando me creí cercano a la muerte, no se venga por tierra, ahora que me siento fuera de peligro. Empiezo a oír dentro de mí muchas voces que me aconsejan mal. Ayúdame tú a que sea la de Dios la que yo escuche sobre todas. ¿Cuántas veces me has dicho al verme solo, alejado de las cosas de la religión, que era eso lo que te impedía ser feliz por completo? Pues ahora tienes en tu mano mi conversión; ayúdame.

CECILIA: Bien. ¿Qué pretendes? [24]

JORGE: Devolver "El Tomillar" a su legítimo dueño.

CECILIA: (Abrumada.) Jorge . . .

JORGE: ¿Comprendes lo que significa?

CECILIA: Sí.

JORGE: No tenemos otra fortuna ni otros medios de vida que los que nos vienen de la finca.

CECILIA: Ya lo sé.

JORGE: Es quedarnos con el día y la noche,[25] empezar de nuevo, lo que eso traerá consigo.

CECILIA: Sí, Jorge.

JORGE: ¿Estás dispuesta a ayudarme a que repare el daño que cometí? ¿Cuento contigo? No, no me contestes ahora. Es una pregunta demasiado grave para que me respondas sí o no, sin que antes lo hayas pensado a fondo. Mañana, pasado, cuando lo creas oportuno, entonces . . .

CECILIA: (Sin demasiada convicción, opacamente.) No, Jorge: lo tengo pensado ya. Cuenta conmigo.

(Jorge la mira a los ojos. Hay una pausa de unos segundos.)

JORGE: (Emocionadamente la abraza.) ¡Oh, Cecilia!

Cecilia ha jugado con su pañuelo en la última parte de la escena. Ahora se le cae de la mano mientras se deja abrazar, aterrada e inerte, por Jorge.

TELON

[24] ¿Qué pretendes? What do you plan to do?

[25] quedarnos con el día y la noche to have absolutely no money left.

CUESTIONARIO

Páginas 28–30

1. ¿A qué noviazgo se refiere Alejandro al hablar con Amalia?
2. ¿Para qué busca Amalia a Romualdo?
3. ¿Por qué entrega las cartas Romualdo inmediatamente a Amalia?
4. ¿Por qué cree Alejandro que son demasiado pronto las doce para que llegue Juan?
5. ¿Para qué abrió Alejandro la caja fuerte?
6. ¿Qué era lo que había dentro de la caja fuerte que interesaba a Jorge?
7. ¿Por qué se exalta Jorge al preguntar por Gervasio Quiroga?
8. ¿Cuál es la situación actual de Gervasio Quiroga?
9. ¿Cuándo sale de la cárcel y en que momento quiere Jorge hablarle?
10. ¿Dónde piensa tener Jorge la entrevista con Gervasio Quiroga y qué quiere decirle?
11. ¿Qué ordena que haga Alejandro?
12. ¿Finalmente qué pide Jorge a Alejandro?
13. ¿Cree Vd. que sería imprudente que Jorge fuera a Badajoz a visitar a Quiroga?
14. ¿Qué tiene que decir Alejandro en la carta?
15. ¿Tiene por último que cumplir alguna otra orden Jorge?
16. ¿Qué otros detalles le encarga dé a Quiroga?
17. ¿Qué hace inquietarse a Alejandro?
18. ¿Por qué es misteriosa la respuesta del Sr. Hontanar a su secretario?

Páginas 30–32

1. ¿Tiene importancia la conversación que Amalia desea sostener con su padre?
2. ¿Ha decidido Juan dar un paso decisivo en sus relaciones con Amalia?
3. ¿Qué encargo tiene que cumplir Amalia?
4. ¿A qué hora llegará Juan?
5. ¿Se alarma Amalia con la contestación de su padre?
6. ¿Cuál es la actitud de Jorge sobre la visita de Juan y la invitación de Javier?
7. ¿Pensaba Amalia que su padre tenía una buena opinión de Juan?
8. ¿Qué dice Amalia a su padre en un momento de angustia?

9. ¿Qué dice finalmente Jorge a Amalia?
10. ¿Qué interpretación da Amalia a las palabras de su padre?
11. ¿Por qué no comprende Amalia lo que sucede?
12. ¿Qué clase de consejo pide a Jorge?
13. ¿Cuál es la acción repentina de Amalia?
14. ¿De qué acusa a su padre?
15. ¿Qué explicación de lo sucedido da Jorge a su esposa?
16. ¿A qué se debe el aplazamiento que busca Jorge a la visita de Juan?
17. ¿Cuál es el propósito de Jorge con su conducta?

Páginas 33-36
1. ¿Cuál es la causa del miedo de Cecilia?
2. ¿Qué ha guardado Jorge muy profundamente durante muchos años?
3. ¿Por qué no reveló Jorge su secreto antes?
4. ¿Qué sabía Cecilia sobre su marido cuando le conoció en San Sebastián?
5. ¿Cuál es la confesión definitiva de Jorge a su mujer?
6. ¿Quién es el verdadero dueño de "El Tomillar"?
7. ¿Qué propuso el oficial de la notaría a Jorge?
8. ¿Por qué fué fácil para Jorge apoderarse de la finca de su padrino?
9. ¿Por qué Cecilia tiene que perdonarlo?
10. ¿Cuál es la primera reacción de Cecilia al saber el secreto tan bien guardado de Jorge?
11. ¿Cuáles son los dos Jorges a que se refiere Cecilia?
12. ¿Cómo justifica Jorge su acción?
13. ¿Para Jorge qué era Gervasio Quiroga?
14. ¿Por qué no habría robado "El Tomillar" si hubiera conocido en aquel tiempo a Cecilia?
15. ¿Por qué resulta difícil descubrir el despojo de Jorge?
16. ¿Por qué era fácil que Gervasio Quiroga se hubiera enterado del robo de Jorge?
17. ¿Quiénes murieron a causa de la guerra en aquel pueblo de Extremadura?

Páginas 36-38
1. ¿Por qué en este asunto no hay más que muertos?
2. ¿Qué piensa Cecilia que es Dios para Jorge?
3. ¿Cómo es Dios para Jorge desde hace unas horas?
4. ¿Cuál es la razón de que Jorge haya aprendido a temerle?
5. ¿Qué es lo que recuerda Jorge de sus años infantiles?
6. ¿Cómo entendió Jorge su ataque?

7. ¿Por qué pidió a don Angel que volviese a verle?
8. ¿Qué piensa hacer Jorge y qué es necesario saber antes?
9. ¿Qué clase de fuerzas pide Jorge a Cecilia?
10. ¿Qué voz es la que desea Jorge escuchar?
11. ¿Qué era lo que impedía a Jorge, según Cecilia, ser feliz?
12. ¿Cuáles son las intenciones definitivas de Jorge?
13. ¿Qué proporciona "El Tomillar" a la familia Hontanar?
14. ¿Cuáles son las consecuencias de devolver la finca a su legítimo dueño?
15. ¿Cuál es el último pensamiento de Cecilia sobre el problema de Jorge?

parte  *cuadro*

primero

El mismo decorado.

(*Al levantarse el telón, está en escena* CECILIA, *que se pasea de arriba abajo y mira el reloj con cierta nerviosidad. Al cabo de unos segundos,* ROMUALDO *aparece por la izquierda.*)

ROMUALDO: Ha llegado la señora. (*Mutis derecha.*)

CECILIA: ¡Ah! (*Se acerca a la puerta de la izquierda.* MATILDE, *en efecto, entra por ella.*)

MATILDE: ¿Qué hay, hija?

CECILIA: Hola, mamá.

MATILDE: ¿Tu marido . . . ?

CECILIA: Descansa un poco.

MATILDE: ¿Podemos hablar entonces?

CECILIA: Sí.

MATILDE: Bueno. ¿Quieres explicarme lo que sucede? Comprenderás que cuatro palabras dichas precipitadamente con el miedo de ser sorprendidos,[1] como dos novios, no me sirvan de mucho y que necesite algunas más.

CECILIA: Mamá, créeme, me es muy penoso darte los detalles que me pides. ¿Para qué te hacen falta? Lo esencial ya lo sabes. "El Tomillar" no es de Jorge. Y Jorge está resuelto a devolverlo a su dueño.

[1] **de ser sorprendidos** of being caught unawares.

42

MATILDE: Escúchame, hija. ¿Es que tu marido se ha trastornado? [2]

CECILIA: Ay, mamá, te suplico . . .

MATILDE: No creas que te lo pregunto a humo de pajas [3] ni en broma, no. Te lo digo con toda seriedad. Y aun podría tener motivos,[4] dicho sea de paso. La crisis que ha sufrido es bastante grave y de las que dejan huellas.[5]

CECILIA: No, mamá. Jorge está completamente cuerdo. Como tú y como yo.

MATILDE: Eso, permíteme que lo dude. Tu marido siempre fué un poco extraño.

CECILIA: No, mamá, no tienes razón para hablar así. Lo que pasa es que tú nunca fuiste santo de su devoción.[6]

MATILDE: En eso es en lo único que demostraba su normalidad. Ya ves que no me duelen prendas.[7]

CECILIA: ¿Y en qué no? [8]

MATILDE: Su carácter está lleno de altibajos, de extremismos . . . Todo le parece o muy bien o muy mal. No es un hombre de términos medios, Cecilia. Las mujeres, según él, son unas santas o unas perdidas. Los hombres, o unos genios o unos imbéciles, o unos ángeles o unos indeseables. Y el mundo anda lleno de gentes que da la casualidad [9] de que no son ni lo uno ni lo otro. Yo, por ejemplo. (*Transición.*) Pero, bueno, no hemos venido aquí a hacer un estudio psicológico de tu marido. Esa venada, ¿cuándo le dió?

CECILIA: Ya te lo expliqué: ayer.

MATILDE: Devolver "El Tomillar" . . . ¡Será insensato! Y a ése . . . , ¿cómo me dijiste que se llamaba?

CECILIA: Gervasio Quiroga.

[2] **se ha trastornado** has gone out of his mind.

[3] **a humo de pajas** lightly.

[4] **aun podría tener motivos** there could be good reason (for don Jorge's disturbed state of mind).

[5] **de las que dejan huellas** could have serious effects.

[6] **nunca fuiste santo de su devoción** he never cared for you very much.

[7] **no me duelen prendas** I don't mind in the slightest admitting it.

[8] **¿Y en qué no?** And in what way (did he show he was not normal)?

[9] **da la casualidad** it so happens.

43

MATILDE: ¡Qué disparate!

CECILIA: Es que es su verdadero dueño, mamá, ya te lo he dicho. ¿O cuántas veces habrá que repetírtelo?

MATILDE: Ya me acuerdo de quién es. ¿No vivía en una de las casas del pueblo cerca de la carretera?

CECILIA: Sí.

MATILDE: El hijo del padrino de Jorge . . . Si era casi público . . . Y, por cierto, con unas ideas . . . A ése ya le he cazado yo saludando a escondidas[10] con el puñito así . . . (*Reproduce el conocido y siniestro saludo revolucionario.*)

CECILIA: Escucha, mamá . . .

MATILDE: Bueno, claro, no es el único hijo natural que he visto saludar de esa manera . . .

CECILIA: Ay, mamá, por Dios . . .

MATILDE: Sí, sí, que no me vaya por las ramas,[11] ¿verdad? ¿Eso es lo que quieres decirme?

CECILIA: Pues . . . sí.

MATILDE: Bien. De acuerdo.[12] Concretemos.[13] ¿Cómo te ha planteado la cosa? ¿Como una decisión suya? ¿O te ha consultado?

CECILIA: Qué sé yo . . . Un poco de las dos maneras. En realidad, mamá, lo que ha hecho es pedirme que le ayude a . . . ponerse en paz con su conciencia.

MATILDE: Mujer, ahora has usado una buena palabra. ¿Y la conciencia no le remorderá si deja en la calle a todos los suyos? ¿Eh? Porque esta casa, Cecilia, y tú lo sabes mejor que nadie, la mantiene "El Tomillar" única y exclusivamente.[14] Aquí no entra un céntimo que no traiga ese origen. Vivís del maíz de "El Tomillar" y del

---

[10] **a escondidas** on the sly.

[11] **no me vaya por las ramas** don't beat around the bush.

[12] **De acuerdo** I agree.

[13] **Concretemos** Let's get down to facts.

[14] **Unica y exclusivamente** W*hen two or more adverbs connected by a conjunction are used, "mente" is omitted from all but the last, the suffix "mente" being etymologically the feminine noun "mente" (mind, manner). In old Spanish "mente" (miente, mientre) was written separately from the adjective.*

44

trigo y de las vacas de "El Tomillar". ¡Ah, no importa reconocer las cosas como son! ¡Y vivo! [15]

CECILIA: Pero resulta que no tenemos derecho, ¿te enteras?

MATILDE: Ya, ya . . . Bien. ¿Y qué? ¿Vas a darle gusto y a ayudarle, como te pide, a cometer ese disparate?

CECILIA: (*Indecisa.*) Yo . . .

MATILDE: Tú, claro, que por algo has sido siempre doña dudas,[16] estás en un mar de confusiones, ¿no es así?

CECILIA: Es que . . .

MATILDE: ¿Qué me vas a decir a mí, Cecilia? Pues óyeme: tu caso es muy clarito. Tú tienes que defender muchas cosas: vuestra felicidad,[17] vuestro nombre, hasta el de su hija, que parece importarle muy poco. Y para defenderlo no hay sino un camino: el de quitarle de la cabeza tanto histerismo y hacer que se deje de pamplinas.[18] ¿Qué le contestaste cuando te habló?

CECILIA: (*Como si apartase un mal pensamiento de la cabeza.*) Qué sé yo, mamá . . .

MATILDE: No te habrá comprometido como una niña ingenua, supongo . . .

CECILIA: No sé, no sé . . .

MATILDE: Mira lo que me gustaría es enterarme de quién fué el gracioso [19] que le inspiró esa actitud tan . . . melodramática.

CECILIA: ¿Quién ha de ser? [20] El sacerdote que le asistió cuando su ataque.

MATILDE: ¡Ah, claro, ya me lo barruntaba yo! El curita ese gallego,[21] ¿no?

CECILIA: Sí.

---

[15] **no importa reconocer las cosas como son! ¡Y vivo!** You must see things the way they are. And the sooner the better!

[16] **por algo has sido siempre doña dudas** it's with good reason that you have always been "doña Doubts." ("*Doña*" *is a title of respect used before the given name of a woman*).

[17] **vuestra felicidad** *refers to the happiness of the whole family, hence the plural form of the familiar possessive adjective.*

[18] **hacer que se deje de pamplinas** make him stop his nonsense.

[19] **gracioso** "clever one" (*sarcastic*).

[20] **¿Quién ha de ser?** Who do you suppose it was?

[21] **El curita ese gallego** that charming little priest from Galicia (*ironical*).

MATILDE: ¡Demonio de curita! Ya [22] podía quedarse en su Compostela [23] y no buscarnos conflictos.

CECILIA: Cualquiera otro le habría aconsejado igual.

MATILDE: Escucha, Cecilia. Esos curitas están bien, para lo que hacen, en sus aldeas, con sus beatas y sus niños pequeños o casando a los señorones de los pazos *in articulo mortis* con sus criadas; pero, en cuanto vienen a la ciudad, arman siempre la de Dios es Cristo.[24] ¿Tú crees que don Sebastián nos habría metido en esta zarabanda?

CECILIA: ¿Quién es don Sebastián?

MATILDE: Ahora resulta que no le conoces: mi director espiritual, hija. ¿O es que crees que no tengo director espiritual?

CECILIA: Y si es verdad que lo tienes, ¿por qué no le consultas a él?

MATILDE: Te diré francamente: tampoco quiero exponerme. Sería buena broma que le diera la razón . . . , por compañerismo, a su colega de Compostela.

CECILIA: De Puebla de Trives.[25]

MATILDE: Para mí, Galicia es Compostela, hijita. Y yo me entiendo.

CECILIA: (*Con vehemencia, situando la conversación en su centro de gravedad.*) ¡Qué hago, mamá?

MATILDE: ¿Qué te dice el corazón que debes hacer?

CECILIA: ¡Oh, es un caos mi corazón! . . . A ratos, se pone de su lado y me empuja a ayudarle. Otros, se asusta como un caballo delante de un obstáculo que no se atreve a saltar . . . , y retrocede . . . Ayer, cuando Jorge me habló por primera vez, reconozco que me dejé ganar por él . . . Parecía un iluminado. Sólo que después . . .

[22] **Ya** *used here for emphasis.*

[23] **Compostela** *Santiago de Compostela, ancient city in Galicia, famous for its historic monuments, principally its churches and monasteries. Its cathedral, a fine example of Romanesque architecture, contains the shrine of the patron saint of Spain, St. James (Santiago). The city possesses numerous religious fraternities, with hospitals, hostels, etc., for the many visiting pilgrims. The university, founded in 1504, also enjoys considerable renown.*

[24] arman **siempre la de Dios es Cristo** *they always stir up trouble.*

[25] **Puebla de Trives** *don Angel's parish in Galicia.*

MATILDE: Sí, claro, abriste los ojos y comprendiste que lo que te proponía era un absurdo.

CECILIA: Absurdo . . . , no.

MATILDE: Sí, hija, sí, y de los más grandes de que he oído hablar en los últimos veinte años. Sólo que, o poco he de poder, o no se saldrá con la suya.[26]

CECILIA: ¿Qué te propones?

MATILDE: Primeramente, ¿qué opina su hijita?

CECILIA: Aún no lo sé.

MATILDE: ¿Le ha planteado la papeleta?

CECILIA: Sospecho que no.

MATILDE: Pues estoy que me muero de ganas de saber [27] qué le contesta, que la niña tiene un carácter suave . . .[28] Claro que yo le disculparía cualquier rabotada. Y más en víspera de boda . . .

CECILIA: Amalia se casará y . . .

MATILDE: ¡Huy, huy, huy! . . . Sí, claro, se casará. Pero tal vez con Juan no.

CECILIA: ¿Por qué lo supones?

MATILDE: Porque el tal Juan es un niñato muy presumido y muy bobito y con muchas pretensiones. Y su padre, bueno, su padre, ¿para qué hablar? Aparte de ser el fantoche más tonto de las cuarenta y nueve provincias españolas . . .

CECILIA: Son cincuenta, mamá.

MATILDE: Cuando yo me las aprendí eran cuarenta y nueve, y a eso me atengo: comprenderás que no voy a andarme leyendo la "Gaceta" [29] todos los días. (Se rectifica a sí misma ante un gesto de Cecilia.) Bueno, el "Boletín", ya sé que no se publica la "Gaceta". Oye, mocosa,[30] ¿crees que éste es el momento de hacer de maestra de

[26] o poco he de poder, o no saldrá con la suya he won't get his own way, if I can do anything about it.

[27] estoy que me muero de ganas de saber I'm dying to know.

[28] un carácter suave a gentle disposition (ironical).

[29] Gaceta (now named "Boletín Oficial del Estado") a daily state publication which deals with important governmental actions, such as the printing of decrees, the announcement of new appointments, etc.

[30] mocosa you child!

escuela? ¡Caramba con la chiquilla! . . .[31] Y lo peor es
que me has quitado el hilo y ya no sé por dónde iba.

CECILIA: Sí, mamá, hablábamos de Juan.

MATILDE: No me despistes, hablábamos de su padre, y decía
que era un tonto, haciéndole un favor.[32] Pero, a pesar
de ser lo tonto que es, ya verás en el momento en que
se entere de lo de "El Tomillar", cómo coge el primer
tren que salga para Madrid y lo que nos cuenta . . .[33]

CECILIA: Sí . . . , eso ya lo he pensado yo.

MATILDE: ¡Y qué demonio, tendrá razón! Va mucha diferencia
de que su Juan se le case con una muchachita bien
situada económica y socialmente, a que lo haga con
la hija de un señor que declara que ha birlado a otro,
con malas artes, la mejor finca de regadío [34] de Extremadura. Y yo en el fondo, qué quieres,[35] estaré de
acuerdo con él.

CECILIA: Vamos a suponer que yo lo estoy contigo, mamá.
¿Qué camino crees que he de seguir para que . . . ?

MATILDE: Amalia es la baza que tú tienes que jugar. Tú debes
decirle: "A mí, por mí, ni preocuparte.[36] Pero, ¿y tu
hija, has pensado en tu hija?" ¿Comprendes? Defién-
dete tú, de manera que parezca que la defiendes a ella.
Por lo menos, gana tiempo. Dile que hacer eso antes
de que se case, es poner en peligro su porvenir; que
aguarde . . . un año . . . o unos meses.

CECILIA: Se negará, estoy segura.

MATILDE: Acaso no. Y si accede, la victoria es nuestra. Sí, sí,
Cecilia; ahora le ha dado heroica,[37] pero cada momento
que pase se le irá llevando un poco de decisión y haciéndole flaquear. Estos son los días terribles. Si salimos
de ellos, podremos descansar tranquilos.

---

[31] ¡**Caramba con la chiquilla!** You silly girl!

[32] **haciéndole un favor** and that's putting it mildly!

[33] **y lo que nos cuenta** and you'll see (what will happen).

[34] **de regadío** with irrigated land (*which of course would greatly increase the value of the property in an arid region such as Extremadura*).

[35] **qué quieres** after all.

[36] **ni preocuparte** don't even give me a thought.

[37] **le ha dado heroica** he wants to be a hero.

CECILIA: No sé, no sé.

MATILDE: Hazle que mida las consecuencias del paso que intenta dar. Amenaza con . . .

CECILIA: (*Desarmada.*) ¿Con qué, mamá?

MATILDE: Con lo que sea.[38] Con marcharte de casa, si es preciso.

CECILIA: ¡Bah, bah! ¡Qué disparate! ¿Adónde voy a ir? . . .

MATILDE: (*Se le acerca. Le habla ahora con una terrible violencia.*) ¡Majadera! Me abochorna que seas hija mía. Eres débil, incapaz de defender con uñas y dientes tu felicidad de los ataques de un desquiciado. Acabarás tirándolo por la borda todo: el pan que comes y el prestigio que tienes. Entonces vendrán las lamentaciones. "Si yo hubiera hecho esto o aquello . . ." Hazlo ahora mismo, antes de que sea demasiado tarde.

CECILIA: Mamá, piensa de mí como gustes. No me siento capaz de dar esa batalla.

MATILDE: Yo seré entonces quien la dé por ti. (*Por la izquierda entra ALEJANDRO.*)

ALEJANDRO: Buenas tardes, ¿Y Jorge?

CECILIA: Se había quedado un poco traspuesto en su cuarto, después de almorzar, pero despertará en seguida.

ALEJANDRO: ¡Ah! Salgo entonces, y vuelvo dentro de cinco minutos.

CECILIA: Muy bien, como guste, Alejandro. (*Alejandro va a hacer mutis por la izquierda. Se detiene. Matilde comprende que quiere decirles algo, si bien no se atreve.*)

MATILDE: (*Le anima.*) Diga, diga . . .

ALEJANDRO: (*Vacila.*) Cecilia . . . , yo no creo ser sospechoso de adhesión a Jorge.[39] Ustedes saben que llevo muchos años a su lado y que le quiero fraternalmente.

MATILDE: Claro, claro . . . ¿Quién lo duda?

ALEJANDRO: Pero no sé . . . , estoy intranquilo.

MATILDE: ¿Por qué, por qué?

ALEJANDRO: No sé lo que pretende . . . Mi impresión es que desea vender "El Tomillar".

---

[38] **Con lo que sea** With anything at all.

[39] **yo no creo ser sospechoso de adhesión a Jorge** I don't think I can be accused of disloyalty to Jorge.

MATILDE: ¿Venderlo?

ALEJANDRO: ¿Para qué necesita, si no, los títulos de propiedad y los certificados del Registro?

MATILDE: Ya.

ALEJANDRO: Ahora bien; a mí, eso, en las circunstancias actuales, me parece un puro disparate, sea lo que sea lo que le paguen. ¿Qué es lo que puede producirle más renta que "El Tomillar"?

MATILDE: Claro.

ALEJANDRO: Yo he intentado disuadirle . . . veladamente,[40] porque ni él me ha pedido consejo ni siquiera me ha hecho confidencias; pero yo creo que una intervención de ustedes sería muy eficaz.

MATILDE: ¿Tú oyes, Cecilia?

CECILIA: Sí, mamá.

ALEJANDRO: Desde luego, sobre la base de que sea eso lo que pretende. Porque lo cierto es que yo no sé adónde va ni lo que persigue . . . Muy extraño veo a Jorge . . .

MATILDE: Sí.

ALEJANDRO: Por lo que a mí se refiere,[41] tengo la impresión de que estoy a punto de cesar con él.

CECILIA: (A sabiendas de que la respuesta será negativa.) ¿Ha habido algún disgusto entre ustedes?

ALEJANDRO: No, no. Ninguno . . . ¿Cómo se le ocurre?

CECILIA: Entonces . . .

ALEJANDRO: No creo equivocarme al interpretar lo que don Jorge me ha dicho . . . "Que su vida va a ir por otros caminos", y que, en consecuencia, pudiera ser que . . .

MATILDE: Claro que nuestro deber consiste en impedirle que cometa algún disparate.

ALEJANDRO: Eso,[42] desde luego.

MATILDE: Pues mire, usted, don Alejandro . . .

CECILIA: ¡Mamá!

MATILDE: (Tras una levísima pausa, con un matiz imperceptiblemente retador.) ¿Qué sucede?

---

[40] **veladamente** without his realizing it.
[41] **Por lo que a mí se refiere** As far as I am concerned.
[42] **Eso** translate Yes.

CECILIA: (*Excusando con el tono*[43] *la sequedad de sus pala-
    bras.*) ¿Le importa a usted[44] dejarnos un momento?
ALEJANDRO: Por Dios,[45] señora . . . (*Y hace mutis por la iz-
    quierda.*)
CECILIA: ¿Qué te propones, mamá?
MATILDE: ¿Que qué me propongo? Buscar aliados donde los
    encuentre, unirme al diablo si es preciso y salir ade-
    lante,[46] por el medio que sea.
CECILIA: (*La mira con fijeza.*) El diablo, tú lo has dicho . . . ,
    a veces me parece que lo llevas dentro.
MATILDE: Pues poco he de poder[47] o a él vas a deberle tu
    tranquilidad.
CECILIA: Calla, mamá; me das miedo. (*Y hace mutis por la
    derecha.*)
MATILDE: (*A Romualdo, que entra por la derecha.*) Oiga, Ro-
    mualdo, ¿sabe usted dónde vive don Alejandro? Quiero
    mandarle unas cosas.
ROMUALDO: Vive en la calle de Pavía, en el 12.
MATILDE: Muchas gracias, Romualdo.
ROMUALDO: El señor se ha despertado.
MATILDE: ¿Ah, sí?
ROMUALDO: Aquí llega. (*Se hace a un lado.* JORGE *entra por la
    izquierda.* Romualdo *se va por la izquierda.*)
JORGE: Hola, buenas tardes.
MATILDE: ¿Qué te dijo ayer el médico?
JORGE: Nada especial. La enfermedad sigue su curso.
MATILDE: ¿Estás contento?
JORGE: No tengo motivos. Estoy sereno, sencillamente.
MATILDE: Pues mira, me alegro. Porque justamente es como
    quería encontrarte. Sereno, o sea, viendo las cosas como
    son, sin ofuscaciones, sin arrebatos . . .[48] ¿Me permites
    una palabra? ¿No te enfadas? Sin histerismos . . .
JORGE: Así suelo verlas siempre.

[43] **Excusando con el tono** Softening, by the tone of her voice.
[44] **Le importa a usted?** Would you mind?
[45] **Por Dios** Why, of course not!
[46] **salir adelante** to get out of this difficult situation.
[47] **poco he de poder** *see note 26.*
[48] **sin arrebatos** without being carried away.

51

MATILDE: Con algunas excepciones.

JORGE: Creo entenderla. Cecilia . . . , ¿habló con usted?

MATILDE: (*Tras una pausa.*) Sí. (*Transición.*) No irás a decirme que te sorprende. Los hombres sois menos dados a las confidencias que nosotras y estáis acostumbrados a resolver vuestros problemas por vosotros mismos. Nosotras, no. Casi todas las resoluciones las tomamos por mayoría de votos.

JORGE: ¿Tiene algún acuerdo que comunicarme?

MATILDE: ¡Oh, no, ninguno! La verdad es que . . . no se ha votado todavía y que me temo el empate. Andábamos discutiendo cuando apareciste tú. Entonces se me ocurrió que lo mejor que podía hacer era hablar contigo directamente.

JORGE: Hablemos. (*Le ofrece asiento a Matilde con un leve ademán protocolario.*[49] *Matilde se sienta.*)

MATILDE: ¿Tú crees que yo te quiero o que no te quiero?

JORGE: Matilde . . . Esa es una cuestión que yo no pongo en duda.

MATILDE: Bien. (*De pronto se da cuenta de que la respuesta de Jorge es un tanto equívoca y que lo mismo puede equivaler a un sí que a un no, y rectifica.*) Oyeme, ¿qué es eso de que no lo pones en duda? Contesta claramente. ¿Crees que te quiero? ¿Sí o no?

JORGE: Creo que sí. ¿Por qué no había de quererme? [50]

MATILDE: Hay toda una tradición que disculpa a las suegras que no miran con buenos ojos a sus yernos . . . , y a la inversa.

JORGE: Ya sé que no es ése su caso ni el mío.

MATILDE: Te quiero, Jorge, aunque lo dudes. Y si te hago esta declaración amorosa es para que comprendas que lo que yo deseo es tu felicidad, que es la de tu hija Amalia y, por sabido se calla,[51] que es también la de la mía.

JORGE: Ya lo supongo, Matilde.

---

[49] **con un leve ademán protocolario** with a somewhat ceremonious gesture.

[50] **¿Por qué no había de quererme?** Why shouldn't you be fond of me?

[51] **por sabido se calla** it goes without saying.

MATILDE: Cecilia llevaba un par de días preocupadísima y sin soltar prenda.[52] Se ha resistido; pero, al fin, me ha dicho lo que le pasaba. No ha traicionado ningún secreto al contarme tus proyectos, naturalmente. Soy su madre, no lo olvides.

JORGE: ¿Está usted enterada,[53] entonces?

MATILDE: Pues sí, más o menos.

JORGE: Sabe también que Cecilia está a mi lado y que cuento con ella?

MATILDE: Sí, sí; lo sé todo.

JORGE: ¿No le parece admirable su actitud?

MATILDE: Hombre, hay mucho que discutir de eso.

JORGE: ¿Qué le ha dicho usted?

MATILDE: Sentiría que te hicieses la ilusión de que la he felicitado como si le hubiese tocado la lotería.[54]

JORGE: (Secamente.) ¿Qué le ha dicho usted, Matilde?

MATILDE: Yo soy muy franca, Jorge: que impida como pueda el que cometas esa locura.

JORGE: ¿Para usted lo que yo pienso hacer es una locura?

MATILDE: Y de las de a folio, Jorge.

JORGE: (Se levanta.) Es inútil que sigamos hablando, Matilde. Nuestros puntos de vista son tan diferentes . . .

MATILDE: Siéntate, Jorge, siéntate. Por mucho que discrepemos, es necesario hablar. La cosa tiene cierta importancia, ¿no?

JORGE: Sí.

MATILDE: Honradamente, Jorge: tu crisis, ¿no te ha trastornado un poco?

JORGE: No; me ha convertido.

MATILDE: Y para convertirte así, tan radicalmente, ¿no ha tenido antes que aflojarte algo los tornillos? [55]

JORGE: ¡Matilde!

---

[52] **sin soltar prenda** without uttering a word.

[53] **¿Está usted enterada?** You have heard?

[54] **como si le hubiese tocado la lotería** as if she had won the lottery. *Every ten or eleven days a government-sponsored lottery takes place, in which many Spaniards participate.*

[55] **aflojarte algo los tornillos** *lit.* to loosen the screws a little *i.e.* to be a little out of your mind.

MATILDE: Mira, Jorge; vivimos en un mundo en el que estas cosas no pasan nunca . . . Admito que lo de "El Tomillar" sea, en su origen,[56] todo lo irregular que tú quieras . . . Pero ya nadie se asusta de nada. Si fuésemos husmeando a derecha e izquierda cómo se han formado ciertas fortunas, nos llevaríamos unas sorpresas tremendas. Bueno, yo no me sorprendería, porque me sé de memoria a muchos de nuestros amiguitos,[57] de los que bullen por ahí y salen en las revistas mundanas. "Cock-tail en casa de los señores de Fulano",[58] "Puesta de largo de la hija de los de Mengano", "Un baile en la residencia de los Perengano" . . . , y yo voy para mis adentros diciéndome: [59] "¿De dónde habrá sacado éste, y el otro y el de más allá,[60] los veinte mil duritos que le ha costado la fiesta y los dos millones del piso y los cuatro de las joyas de la señora? . . ." He visto mucho, Jorge de mi vida, cuando andábamos mundo adelante [61] mi pobre Germán y yo. Pero lo que no he visto todavía es que nadie cante la palinodia, devuelva un céntimo y se ponga a darse golpes de pecho en la vía pública. Ese es un espectáculo inédito. Y ya te puedes figurar la gracia que me hará que sea mi yerno el protagonista.

JORGE: Le será muy difícil comprender ciertas cosas si no parte de esta base: la muerte, que me ronda, ha hecho de mí un católico de verdad.

MATILDE: Mira, Jorge, si el ser católico se pone tan caro, van a darse de baja muchísimos.

JORGE: ¡Ah!

MATILDE: ¿Es que crees que todos esos a los que me refiero no son católicos también? ¡Huy, eres un niño, Jorge! Mira a Jaimito Cedaño, por ejemplo, que acaba de rehabilitar

---

[56] **en su origen** *refers to the underhand method by which Jorge acquired "El Tomillar."*

[57] **amiguitos** so-called friends.

[58] **Fulano—Mengano—Perengano** this one—, that one—, the other one.

[59] **yo voy para mis adentros diciéndome** I keep asking myself.

[60] **éste, y el otro y el de más allá** this one, that one and the other one.

[61] **cuando andábamos mundo adelante** when we were trying to make our way in the world.

no sé que título.[62] Ese, que, me consta, ha hecho doce millones en doce meses, y él sabrá cómo. Tienes que verle en San Manuel y San Benito [63] los días de precepto.[64] Es algo edificante.[65] Hombre, en marzo tomamos la ceniza [66] juntos. ¡Qué ojos ponía tan humildes, qué cruzar los dedos [67] como si no hubiera roto un plato y qué unción al volver a su reclinatorio! "Anda, pirandón—pensaba yo—, bien te vas a sacudir tú la ceniza apenas salgas a la calle . . ." Parece que es una barbaridad decir que tengo ganas de que enferme gravemente, ¿no? Pues mira, sí, las tengo, para observarle. No hará lo que tú,[68] ése no. Llamará a su secretario y sacará el dinero de la cuenta corriente para librarse de impuestos. Y ser más católico que Jaimito Cedaño es imposible, que ya he oído yo decir que le van a dar un cargo sólo por serlo.

JORGE: Yo he sido católico, a su manera,[69] demasiado tiempo.

MATILDE: ¿Qué supones tú? ¿Que todo ese mundo de Jaimito Cedaño se pondrá de tu lado? Te equivocas. De ahí vendrán los ataques más fuertes, de esos santones que la [70] gozan lapidando a los que pecan y no echando una mano a los que se convierten.

JORGE: Que hagan lo que quieran.

MATILDE: Les estoy viendo: se rasgarán las vestiduras.[71] No elogiarán tu arrepentimiento de hoy, sino que te desollarán vivo por tu debilidad de ayer. No volverán a

[62] rehabilitar no sé qué título *Titles of nobility which have fallen into disuse may be made valid again.*

[63] San Manuel y San Benito a fashionable church in Madrid.

[64] días de precepto "Holy Days" *i.e. days when attendance at church is obligatory.*

[65] edificante edifying (*ironical*).

[66] ceniza ashes (*refers to the ashes with which a Roman Catholic priest touches the forehead of each member of his congregation on Ash Wednesday.*

[67] cruzar los dedos *here* clasping of hands (*as for prayer*).

[68] lo que tú what *you* want to do.

[69] católico a su manera that kind of catholic.

[70] la *do not translate.*

[71] Se rasgarán las vestiduras they will rend their garments (*i.e. will make a pretence of great sorrow*), *an allusion to Joel II, 13.*

sentarte a su mesa. Te echarán bola negra [72] en donde puedan; si se te ocurre buscar su ayuda, te la rehusarán. "Habráse visto desaprensivo semejante . . ." Y no dirán nunca: "¿Quién lo iba a pensar?", sino: "Psch . . . , psch . . . , ya me parecía a mí." [73]

JORGE: Me importa un bledo lo que digan y lo que hagan.

MATILDE: ¡Ah, no, hijo mío! Si estuvieses solo en la vida podrías hacer mangas y capirotes.[74] Pero da la casualidad de que tienes una mujer y una hija y que las dos, sin comerlo ni beberlo,[75] corren tu misma suerte. Y tú no puedes desentenderte de ellas, como si fueran dos extrañas. Es muy cómoda tu postura. Tú, a salvar tu almita, y a los demás que nos parta un rayo.[76]

JORGE: Me habla con los pies pegados a la tierra,[77] y todas sus palabras me suenan mezquinamente. Quisiera que supiese que yo he roto ya muchas ataduras. Por lo que se refiere a Cecilia y a Amalia, nada de lo que han tenido les pertenecía. Ahora lo devuelven. Ni pierden ni ganan.

MATILDE: ¡Ca, hijo mío! Pierden muchísimo, porque cuando las vean por la calle las señalarán con el dedo y se dirán unos a otros: "Ahí van la mujer y la hija de un estafador."

JORGE: (Violentísimo.) ¡Matilde! !

MATILDE: ¿No has roto, según tú, muchas de tus ataduras? ¿Pues qué te puede importar que llame a las cosas por su nombre?

JORGE: Bien. Nada me hará retroceder. Le he dicho que soy otro desde que vi la muerte cerca de mí, y que, cuando vuelva a verla, quiero hacerlo en gracia de Dios. Devolveré "El

---

[72] **Te echarán bola negra** They will reject ("blackball") you. *This expression has its origin in the procedure followed when electing members for office in a club or association. The voters express their approval of a candidate by a white ball, and their disapproval by a black one. The winning candidate is the one who receives the greatest number of white balls.*

[73] **ya me parecía a mí** I thought so.

[74] **hacer mangas y capirotes** to do whatever one likes.

[75] **sin comerlo ni beberlo** without having any say in the matter.

[76] **Tú, a salvar tu almita, y a los demás que nos parta un rayo** You are trying to save your precious soul, and let the rest of us go to the devil.

[77] **con los pies pegados a la tierra** from a very materialistic point of view.

Tomillar" a Gervasio Quiroga, su legítimo dueño, apenas pueda hablarle.

MATILDE: ¿Por qué no te vistes de hábito, te llenas de conchas,[78] te echas una calabaza al hombro y te vas a una ermita en lo alto de un monte?

JORGE: Es menos difícil que lo que pienso hacer, Matilde, aunque a usted no se lo parezca, y no remediaría ninguna de mis culpas anteriores. Ni me valdría, tampoco, para ganar la absolución.

MATILDE: Tú lo que tienes es un miedo vulgar a los infiernos.

JORGE: Vulgar no, Matilde. Espantoso, excepcional, porque ha habido un momento en el que he temido caer en ellos.

MATILDE: Cuentos de niños.

JORGE: Usted no cree; en el fondo, usted no cree, Matilde. Y yo lo comprendo. Ha vivido en un ambiente en el que creer era demasiado fácil para que tuviese un valor; en el que la fe rentaba como el amortizable. No ha creído entre ateos o entre herejes, sino dejándose llevar de la corriente. Así he creído yo mi vida entera, persignándome a unas horas y saltándome a otras los mandamientos que me molestaban. Así hay millones que se llaman católicos y no lo son sino de nombre. Sépalo usted de una vez, Matilde. Yo soy un español que se ha convertido al catolicismo.

MATILDE: Vas a llamar la atención. Se estila poco eso.

JORGE: Me es igual no estar a la moda.

MATILDE: Fuera de toda razón es lo que estás.

JORGE: No, no; todo lo que se [79] es se debe ser a fondo, con pasión y no frívolamente. Me he llamado católico hasta hoy como si fuese un apellido más de los que llevo. Jorge Hontanar Villamil . . . y católico. Pero acabo de comprender que serlo de verdad es muy diferente y que impone deberes terribles. Y yo quiero cumplir el mío.

MATILDE: ¿Por qué no lo cumpliste entonces, cuando anduviste

---

[78] **te llenas de conchas** *lit.* fill yourself with shells. *This refers to the custom, practised by some pilgrims, of wearing shells in their clothes as a symbol of penitence.*
[79] **se** *translate* one.

metido en [80] todas esas porquerías de falsificar firmas y testamentos?

JORGE: No lo sé. Pero Dios me ha dado tiempo de arrepentirme y yo he de aprovecharlo.

MATILDE: ¿Estás decidido, entonces, a dar ese paso monstruoso?

JORGE: Sí.

MATILDE: ¿A sacrificarnos a todos para vencer tus escrúpulos de beata? ¿A dejarnos en la calle para irte al cielo como un angelito?

JORGE: Cállese, Matilde; no le tolero esa manera de hablarme.

MATILDE: Muy bien, Jorge. Pues yo te juro que defenderé a Cecilia y a Amalia, y me defenderé a mí misma, no me importa decírtelo, como sea y de la manera que sea.[81] Te va a costar cara la salvación de tu alma.

JORGE: Al precio que sea he de comprarla. (*Se interrumpe.*) Hace un mes, quince días solamente, me hubiera reído de hablar así. Hoy, no. Hoy es un grito que me sale de muy dentro, de muy dentro . . .

Se golpea repetidamente el pecho mientras cae el

TELON

[80] **anduviste metido en** *see note 40, Parte I, Cuadro I.*
[81] **como sea y de la manera que sea** any way I can.

CUESTIONARIO

Páginas 42–46

1. ¿Por qué pregunta Matilde si duerme Jorge?
2. ¿Cómo piensa Matilde que hablan los novios?
3. ¿Qué quiere saber Matilde?
4. ¿Cuál es la contestación de Cecilia a las preguntas de su madre?
5. ¿Qué induce a Matilde a pensar que su yerno está loco?
6. ¿Qué contesta Matilde cuando su hija dice que Jorge está cuerdo?
7. ¿Por qué cree Cecilia que su madre acusa a su marido de estar loco?
8. ¿En qué se demuestra la normalidad de Jorge, según Matilde?
9. Descríbase la idea que tiene Matilde del carácter de Jorge.
10. ¿Cuáles son los recuerdos de Matilde sobre Gervasio Quiroga?
11. ¿Dónde vivía en aquella época Quiroga?
12. ¿Cómo dice Cecilia que su marido le planteó el problema?
13. ¿De qué vive la familia Hontanar, de acuerdo con las palabras de Matilde?
14. ¿De qué acusa Matilde a su hija?
15. ¿Qué consejos recibe Cecilia de su madre?
16. ¿Qué le gustaría saber a Matilde?
17. ¿Qué hubiera sido preferible que hiciera el curita?
18. ¿Dónde cree Matilde que están mejor los curitas?
19. ¿Quién es don Sebastián?
20. ¿Por qué no quiere exponerse Matilde con don Sebastián?
21. ¿Qué dice Matilde que es para ella Compostela?

Páginas 46–49

1. ¿Qué le indica el corazón hacer a Cecilia?
2. ¿Qué sucedió cuando Jorge habló por primera vez a Cecilia?
3. ¿Cuál fué después la reacción de Cecilia?
4. ¿Cómo expresa Matilde su parecer sobre todo el asunto?
5. ¿Cuál es la pregunta que hace Matilde sobre la opinión de Amalia?
6. ¿Por qué sería necesario perdonar a Amalia cualquier rabotada?
7. ¿A qué se debe el que Matilde ponga en duda la boda de Amalia y Juan?
8. En opinión de Matilde, ¿qué es el futuro suegro de Amalia?
9. ¿Por qué dice Matilde que España tiene 49 provincias?
10. ¿De qué no es el momento?

11. ¿Qué le ha ocurrido a Matilde con la discusión?
12. ¿Qué hará Javier cuando se entere de la decisión de Jorge?
13. ¿Por qué hay una gran diferencia en casarse con Amalia si ésta no posee "El Tomillar"?
14. ¿Qué es "El Tomillar"?
15. ¿Cuál es la baza que tiene que jugar Cecilia?
16. ¿De qué manera debe defenderse Cecilia?
17. ¿Cuál cree Matilde que es la mejor táctica a seguir?
18. ¿Cuándo podrán descansar tranquilos?
19. ¿Con qué debe amenazar Cecilia a Jorge, si es preciso?
20. ¿Qué dice Matilde cuando Cecilia muestra cierta oposición a seguir sus consejos?
21. ¿Qué contesta Cecilia a las palabras enfadadas de su madre?

Páginas 49–52
1. ¿Qué estaba haciendo Jorge mientras tanto?
2. ¿Qué decide hacer Alejandro hasta que pueda ver a Jorge?
3. ¿De qué no puede Alejandro ser acusado?
4. ¿Qué impresión intranquiliza a Alejandro?
5. ¿Qué le hace pensar así?
6. ¿Por qué la actitud de Jorge le parece un puro disparate a Alejandro?
7. ¿Por qué Alejandro intenta disuadir a Jorge veladamente?
8. ¿Qué es lo que sabe Alejandro?
9. ¿Cuál es la impresión que Alejandro tiene de la actitud de su jefe?
10. De acuerdo con las palabras de Matilde, ¿cuál es el deber de todos ellos?
11. ¿Qué pide Cecilia a Alejandro?
12. ¿Qué pregunta directa hace Cecilia a su madre?
13. ¿Qué relación cree Cecilia que existe entre su madre y el diablo?
14. ¿A qué va a deber Cecilia su tranquilidad en definitiva, según su madre?
15. ¿Qué dirección sabe Romualdo? ¿Cuál es ésta?
16. ¿Cómo dice Jorge que sigue su enfermedad?
17. ¿Cómo es el estado de ánimo de Jorge?
18. ¿Por qué se alegra Matilde del estado de ánimo de Jorge?
19. ¿De qué manera entiende Matilde que son los hombres y las mujeres?

Páginas 52–55
1. ¿Qué es lo mejor que se le ocurre a Matilde?
2. ¿Qué cuestión no pone nunca en duda Jorge?

3. ¿A qué tradición se refiere Matilde?
4. ¿Por qué dice Matilde en broma que hace una declaración amorosa a Jorge?
5. ¿Qué comentario hace Matilde sobre su hija Cecilia?
6. ¿A favor de quién cree Jorge que está Cecilia?
7. ¿Cómo le parece a Matilde la actitud de su hija?
8. ¿Cuáles han sido los consejos de su madre a Cecilia?
9. ¿Por qué dice Jorge que es inútil que sigan hablando?
10. ¿A qué es debido el que Matilde, a pesar de su discrepancia con Jorge, quiera seguir hablando?
11. ¿Qué le pregunta honradamente Matilde?
12. ¿Cuál es la pregunta impertinente de Matilde?
13. ¿Cuál es la visión, según Matilde, del mundo actual?
14. ¿Qué dice Matilde para sus adentros?
15. ¿Qué es lo que no ha visto Matilde todavía?
16. ¿De qué base le es necesario partir a Matilde para comprender la decisión de Jorge?
17. ¿Qué idea tiene Matilde sobre el catolicismo?
18. ¿Qué ejemplo cita Matilde para convencer a Jorge?
19. ¿De qué manera ha sido católico Jorge durante muchos años?

Páginas 55–58
1. ¿De dónde vendrán los ataques más fuertes contra Jorge?
2. Diga lo que hará la gente ante la decisión de Jorge.
3. ¿Por qué no puede importarle lo que diga la gente a Jorge?
4. ¿Qué piensa Jorge de este asunto?
5. ¿Qué le parece a Matilde que dirá la gente?
6. ¿Qué no puede importarle a Jorge?
7. ¿Por qué no hay nada que haga retroceder a Jorge?
8. ¿Qué aconseja Matilde?
9. ¿Por qué el consejo de Matilde es menos difícil que lo que piensa hacer Jorge?
10. ¿Cómo es el miedo que siente Jorge?
11. Según Jorge, ¿por qué no cree Matilde?
12. ¿Qué diferencia existe entre el catolicismo de antes y el de ahora en Jorge?
13. ¿Cuál es el juramento de Matilde?
14. ¿Qué contesta Jorge cuando Matilde le dice que le va a costar cara la salvación de su alma?

parte · cuadro
segundo

El mismo decorado. Luz de noche.

(*Al levantarse el telón,* Jorge *aparece por la derecha. Lleva sobre los hombros un abrigo ligero.*)

Jorge: ¡Romualdo! ¡Romualdo!

Romualdo: (*Aparece por la izquierda.*) Dígame.[1]

Jorge: No sé cuánto tardaré en bajar.[2] Lo mismo puede ser cosa de diez minutos que de más. Espero una visita.

Romualdo: Muy bien, señor.

Jorge: Se trata de don Gervasio Quiroga. No sé a qué hora llegará. Pero si viene y no estoy, me manda avisar[3] y a él le dice que me aguarde. ¿Entendido?

Romualdo: Sí, señor.

Jorge: A don Alejandro, que me aguarde también.

Romualdo: Conforme.

    (*Jorge inicia el mutis por la izquierda.* Amalia *sale por la derecha.*)

Amalia: ¿Te marchas, papá?

    [1] **Dígame** Yes, sir.
    [2] **bajar** *Don Jorge is about to visit his doctor's office on a higher floor of the building.*
    [3] **me manda avisar** let me know.

JORGE: Sí.

AMALIA: (*Sin avanzar hacia él.*) Probablemente vendrán a buscarme antes de que vuelvas.

JORGE: ¿Esperas tan pronto a Juan?

AMALIA: Dijo que estaría aquí a las ocho, y son ya.

JORGE: Yo no tardo.

AMALIA: Por si acaso . . . , te digo adiós.

JORGE: (*Se detiene.*) ¿Cuáles son tus proyectos?

AMALIA: Pienso quedarme en Valnueva quince días, mientras pasa . . . cuanto tenga que pasar. Después ya veré. Pero, antes de un mes, confío en que nos casemos.

JORGE: Hija mía (*Emocionado y desde el umbral de la puerta.*), ojalá que todo te vaya bien. Créeme que no hay nada en el mundo que yo desee más que eso.

AMALIA: Permíteme que lo dude, papá.

JORGE: (*Abre los brazos como si se considerase impotente para hacerla cambiar de criterio.*) Eres injusta. Jamás he hecho otra cosa que vivir para ti.

AMALIA: Todo lo has destruído en un momento de locura.

JORGE: Tu felicidad, no.

AMALIA: ¿Qué temías? ¿Que Juan me hubiese dejado? Eso sería si no me quisiese o si hubiese visto en mí solamente una rica heredera. Pero Juan es muy distinto.

JORGE: Tú le hablaste, claro.

AMALIA: Sí, a la mañana siguiente de haberlo hecho contigo. Le conté todo, ce por be,[4] tal y como tú me lo habías contado.

JORGE: Y él . . . ?

AMALIA: Pero ¿qué idea tienes tú de él? ¿Supones que es "El Tomillar" lo que veía en mí? Gracias a Dios, no.

JORGE: Si supieses cómo me alegra, Amalia . . .

AMALIA: Sin embargo, nada te hubiese detenido . . . Y cuando no le recibiste fué porque . . .

JORGE: Porque hubiera sido un engaño hablar con él como si nada,[5] cuando estaba a punto de tomar la decisión más grave de mi vida.

[4] **ce por be** from A to Z.
[5] **como si nada** as if nothing were wrong.

AMALIA: ¿Y si él, asustado de lo que se me viene encima, se hubiese vuelto atrás?

JORGE: Sería por no ser digno de ti. Y eso es preferible saberlo antes que después.

AMALIA: Tú me has expuesto a perder lo que más quiero en el mundo.

JORGE: Por fortuna, no lo has perdido.

AMALIA: Es verdad; hay algo ahora que tiene mucho más valor que hace unos días: mi confianza en Juan.

JORGE: Desde el fondo de mi alma, créeme que me alegra que sea así.

AMALIA: (*Transición.*) Naturalmente, papá; Juan y yo nos casaremos de distinta manera a como lo teníamos pensado.

JORGE: Ya . . .

AMALIA: A primera hora de la mañana, en una iglesia cualquiera y sin invitar a nadie.

JORGE: Me parece natural. Oyeme . . . También debías hacer algún otro cambio. A los padrinos, me refiero. No contéis conmigo. Javier Montes y Cecilia . . . , ésos deben ser.

AMALIA: (*Con presteza.*) A tu gusto.

JORGE: (*Con una imperceptible sonrisa.*) Al vuestro también, supongo.

AMALIA: (*Penosamente.*) Papá, créeme que . . .

JORGE: Escúchame, Amalia; ignoro en qué concepto me tenías antes de que sucediera todo esto.

AMALIA: No había en el mundo para mí nadie mejor que tú.

JORGE: Tu cariño te cegaba y te hacía ver las cosas distintas de como son. No era cierto, no. Yo no era lo bueno que tú suponías, pero tampoco soy tan despreciable como me juzgas ahora. Sin embargo, Amalia, yo no te pido que me disculpes, sino sencillamente que . . . , si puedes . . . , me perdones . . . Adiós, hija.

(*Se va de un modo súbito por la izquierda. Un ademán de Amalia para retenerle cae en el vacío. Amalia avanza hacia el centro de la escena.* CECILIA, *por la derecha.*)

64

CECILIA: ¿Le hablaste?

AMALIA: Sí.

CECILIA: ¿Qué te dijo de la boda?

AMALIA: Está conforme.

CECILIA: Quería pedirte, Amalia, una cosa. Tiempo habrá más adelante [6] de que lo sepa. Pero no le digas nada de lo del padrino . . . Podría sentirse herido.

AMALIA: No te preocupes. El mismo se adelantó a ceder su puesto.

CECILIA: ¿Y tú aceptaste su renuncia?

AMALIA: Sí.

CECILIA: ¡Pobre Jorge!

(Suena el timbre de la puerta. Amalia lo acusa y va hacia la izquierda.)

AMALIA: Calla.

CECILIA: ¿Es Juan?

AMALIA: No sé. (Se asoma por la izquierda.) Es Matilde. (MATILDE, en efecto, por la izquierda.)

MATILDE: Perdonadme el retraso. Es que han dado en la Junta, para que la viéramos, "Amores imperiales". Es una película escandalosa. Se pasan mil metros [7] besuqueándose. Claro, me he quedado hasta el último. Pero ya podéis imaginaros lo que he dicho. Yo, con esas porquerías, soy inflexible. Vamos a hacer una protesta oficial, de padre y muy señor mío.[8]

CECILIA: ¿Te parece esta ocasión oportuna para hablar de películas, mamá?

MATILDE: Ay, hija, tal vez no. Pero lo cortés no quita lo valiente.[9]

CECILIA: ¿Qué sabes de nuevo? ¿Y Alejandro?

MATILDE: Acaba de llegar de Badajoz. Quedamos en vernos aquí.

CECILIA: ¿Y noticias?

MATILDE: Apenas si hablamos. No era discreto . . . por telé-

---

[6] más adelante later on.

[7] Se pasan mil metros They use up a thousand metres (of film).

[8] una protesta oficial, de padre y muy señor mío a *very* strong official protest.

[9] lo cortés no quita lo valiente *coll.* the fact that I bring this matter up, doesn't mean that I'm not concerned about Jorge.

fono . . . Pero me dió así, a medias palabras, buenas impresiones. En fin, no perdamos tiempo. ¿Dónde está Jorge?

Cecilia: Subió a la consulta del médico.

Matilde: ¡Caramba! ¿Se fué ya?

Cecilia: Sí es extraño que no os hayáis encontrado en la puerta . . . En el momento de entrar tú, salía él.

Matilde: ¡Ah!, tal vez no es tarde todavía. (Se dirige al teléfono. A Amalia.) Conmútamelo, ¿quieres? (Busca un número en su pequeña agenda, mientras Amalia se marcha por la derecha.) ¡Ah!, qué tonta; tú debes saberlo . . . El teléfono del médico.

Cecilia: 24-80-14. ¿Vas a llamarle?

Matilde: Yo no he perdido aún las esperanzas, ¿comprendes? Por definición, Jorge tiene que sentirse hoy menos firme que ayer y que antes de ayer . . . Y si alguien nos ayuda . . . , con un poco de gracia . . .[10] Calla, calla. Ya verás. ¡Ah, ya hay línea! (Marca el número.) Es posible que Jorge se salga con la suya; pero a mí no sé qué es lo que me sucede hoy, que me he levantado más animosa que nunca. (Se interrumpe.) ¿La casa del doctor? . . . ¡Ah, es usted! ¿Qué tal, doctor? Soy Matilde Arjona . . . Mi yerno está ahí, ¿verdad? Ha subido ahora mismo. Esperará en la antesala . . . !Por Dios, nada de llamarle![11] Al contrario, lo que quiero es que él no se entere de que le llamo . . . Nadie tiene por qué saberlo . . .[12] Pero es que, mire usted, doctor, necesito que usted, que es tan comprensivo, le ayude un poco a remontar el ánimo . . . ¿Me entiende? Yo le encuentro deprimidísimo . . . Tiene la aprensión de que su enfermedad es la última . . . y, en fin, usted sabe de eso más que nadie . . . Claro, aunque sea grave, pues . . . Sí, sí . . . , eso, eso, doctor . . . Simplemente con que le dijese que el . . . (Busca la palabra.) electrocar-

[10] **con un poco de gracia** with a little "savoir-faire."
[11] **¡Por Dios, nada de llamarle!** For goodness sake, don't call him!
[12] **Nadie tiene por qué saberlo** There's no need for anyone to know.

diograma,[13] ¿no? ¡Jesús, doctor, cómo se ve que es usted
un sabio, qué palabras usa! Conque le dijese que acusa [14]
una mejoría grande . . . , pues estoy segura de que
Jorge sería otro. (*Transición*) ¡Porque es que el pobre
sufre como usted no se imagina! . . . Dándole vueltas
y vueltas a sus ideas . . . , y nada bueno puede venirle
de eso . . . claro, más que el torturarse y ponerse
nervioso . . . Sí, sí, ya lo creo que es útil . . . una
mentira piadosa, como usted dice . . . Pues muchas
gracias, doctor, y que Dios se lo pague . . . Sí, sí, le
quiero como a un hijo . . . En eso sí que acierta usted.
Dígaselo así para que se entere, que aún lo duda el muy
descastado. Adiós, doctor, adiós. Hasta muy pronto. Y
gracias por todo. (*Cuelga.*) ¡Ajajá! ¡Listo!

CECILIA: ¿Qué persigues, mamá?

MATILDE: No, nada concreto . . . Pero cuanto menos amenazado se sienta, menos dramáticamente reaccionará,
¿comprendes? Me echabas en cara el otro día que era
capaz de aliarme hasta con el diablo. ¿Sabes quién sería
mi aliado mejor? Su salud, hija, su salud.

CECILIA: Ay, mamá; ojalá se resuelva todo de una manera o de
otra y pronto, porque esto es un infierno y yo no puedo
continuar así: pensando y deseando una cosa y haciendo
otra.

MATILDE: ¿Y por qué no te sinceras con Jorge?

CECILIA: Por miedo.

MATILDE: ¿Sigues, entonces, igual que el primer día, dándole la
razón, dejándole jugar la carta de mártir y haciéndole
creer que será el asombro de sus contemporáneos, que
claro que lo será, dicho sea de paso?

CECILIA: Sigo disimulando, por lo menos. Aunque no sé si él
está ya de vuelta de todo.[15] Si vieses cómo me miró
ayer . . . y con qué tono me preguntó: "¿Qué te pasa,
Cecilia, qué te pasa?"

[13] **electrocardiograma** *a record of the electrical changes associated with
the heart beat.*

[14] **acusa** shows (*this refers to the electrocardiogram*)

[15] **si él está ya de vuelta de todo** if he already knows how we feel.

MATILDE: ¿Y tú, qué le contestaste?

CECILIA: Nada; me eché a llorar.

MATILDE: ¿Y a eso le llamas no contestar? Valor, Cecilia. El corazón me dice que esto está a punto de hacer crisis.

CECILIA: Dios te oiga, mamá.

(*Ha sonado el timbre un segundo antes.* AMALIA, *por la derecha;* ROMUALDO, *por la izquierda.*)

ROMUALDO: Don Alejandro.

MATILDE: ¡Ah! Que entre.

(*Mutis de Amalia y Romualdo por las laterales de su entrada.*)

ALEJANDRO: (*Por la izquierda.*) Buenas tardes.

MATILDE: Le esperábamos impacientes. Cuéntenos.

ALEJANDRO: ¿Podemos hablar?

MATILDE: Sí, sí, claro. Y ande, que nos tiene nerviosas.

ALEJANDRO: Fuí a la Notaría de Alcabra. Cuando usted me contó toda la historia, yo quedé preocupado, pensando de qué manera había podido urdirse aquello. Era una curiosidad casi profesional, ¿comprenden?

MATILDE: Sí, sí.

ALEJANDRO: Ahora ya lo sé. El testamento original se componía de dos pliegos numerados. El primero, en el que figuraba la institución de heredero, fué el que se cambió. La misma mano, la del famoso oficial de la Notaría, seguramente, había escrito los dos. El número del primer pliego estaba enmendado, aunque apenas si se notaba. Claro que no hubiese resistido un examen pericial, y, de haberse denunciado don Jorge a sí mismo, fea se habría puesto la cosa.

MATILDE: No me asuste; aún está a tiempo de hacerlo.

ALEJANDRO: Ya es tarde. He pedido el protocolo . . . , y en un momento de descuido . . . , y aún no sé cómo . . . , se me ha enganchado el anillo . . . , me parece que ha sido así . . . , sí, así ha sido . . . , con el anillo . . . , y me he llevado por delante un trozo de papel pequeñisimo, sólo que justo, justo, vea usted lo que son las casualidades, el que tenía los números cambiados. (*Saca la cartera, la abre y se lo enseña.*)

MATILDE: O sea que ahora,[16] aunque él quisiera . . .

ALEJANDRO: (*Cambia su tono sibilino por otro de hombre resuelto.*) . . . demostrar su falsificación, le sería imposible. De este percance del anillo, nadie se ha dado cuenta en la Notaría, y, si lo advirtiesen mañana, adivine usted cuándo,[17] en qué momento y por qué razón se rompió el piquito ese.

MATILDE: ¡Estupendo, Alejandro! Sabía que hacía bien confiándome a usted.

ALEJANDRO: Es que es indispensable que don Jorge se vuelva atrás. A mí no me remuerde la conciencia ni de esto ni de nada. Estamos impidiendo un suicidio, y no de un cualquiera, sino de una persona a la que todos queremos mucho.

MATILDE: Naturalmente, Alejandro. Esa es la verdad. Jorge es un loco, empeñado en tirarse a un precipicio, que aún se atreve a luchar contra nosotros para que se lo consintamos. Cumplimos nuestro deber al impedírselo, y tú, Cecilia, que de vez en cuando te sientes llena de remordimientos, eres la que se ha de convencer de eso más que nadie.

CECILIA: Y si, a pesar de los pesares, Jorge se fuese al notario, o al juez, o a donde fuese, y confesase lo que hizo . . .

MATILDE: Hable usted, Alejandro, y explíquele . . . nuestros planes. (*A Cecilia.*) Y no te preocupes, hijita mía, que todo ha sido previsto.

CECILIA: Sí. ¿Qué pasaría entonces?

ALEJANDRO: ¡Oh, no, doña Matilde! . . . ¿Para qué ponerse en ese caso,[18] si es imposible que . . . ?

CECILIA: No, no; parece como si no le conocierais y no supieseis lo obstinado que es. Lo temo todo; tiene una veta de loco.

ALEJANDRO: ¡Ajajá! Pues . . . aprovecharíamos esa veta, Cecilia.

CECILIA: No entiendo.

[16] **O sea que ahora** that is to say that now.
[17] **adivine usted cuándo** how could anyone guess when?
[18] **¿Para qué ponerse en ese caso?** Why think about that?

ALEJANDRO: Se intentaría . . . incapacitarle.

MATILDE: (*Inquieta por la reacción de Cecilia.*) ¡Bah, bah! Dejémonos de novelerías. ¿A quién se le ocurre? Con el Jorge del principio, ¿quién sabe?, era para andarse con tiento; pero tenemos a Jorge cambiadísimo, amigo Alejandro, y me alegra decírselo.

CECILIA: No te fíes,[19] mamá.

MATILDE: A primera vista, tal vez no se le note, pero si le sonsacas un poquito . . . Y es natural, él pisa con más fuerza y con más seguridad que antes . . . , y además han pasado, entre bromas y veras,[20] casi quince días. Lo de Gervasio Quiroga, que Dios confunda,[21] fué providencial . . . ¿Sabe usted lo que yo pensaba? No sería posible conseguir que le tuvieran en chirona algún tiempo más?

ALEJANDRO: ¡Ah, ése es otro cantar![22] Lamento decirle, señora, que Gervasio Quiroga ha sido puesto en libertad ayer y que hemos hecho el viaje los dos en el mismo tren.

MATILDE: ¿Ha llegado a Madrid, entonces?

ALEJANDRO: Salvo que se haya caído a la vía, lo cual es demasiado bueno para que sea cierto, Gervasio Quiroga está en Madrid.

MATILDE: A ver a Jorge, claro.

ALEJANDRO: Sin duda.

MATILDE: ¿Te das cuenta, Cecilia? Hoy es un día decisivo.

CECILIA: ¿Qué se puede hacer?

MATILDE: Espérate. (*Toca el timbre.*) Hay que impedir esa entrevista.

ROMUALDO: (*Por la izquierda.*) Mándeme.[23]

MATILDE: Oígame, Romualdo. Si llama un tal Gervasio Quiroga, que [24] no hay nadie. ¿Me comprende?

---

[19] **No te fíes** Don't be too sure.

[20] **entre bromas y veras** between one thing and another.

[21] **que Dios confunda** confound him!

[22] **ése es otro cantar!** that's another matter!

[23] **Mándeme** *lit.* order me. *Servants frequently use this term when summoned by their employers.*

[24] **que** *i.e.* dígale que.

ROMUALDO: ¿Quiroga?

MATILDE: Sí. ¿Qué le sucede?

ROMUALDO: No, no, que el señor le espera. Me dijo cuando subía a la consulta que le avisase si venía.

MATILDE: Pues mire usted, Romualdo. Por una vez, a quien tiene usted que hacer caso es a nosotras. Se trata de evitar un disgusto al señor. ¿Me entiende?

ROMUALDO: Bueno, bueno . . . Y si el señor me pregunta, ¿qué le contesto?

MATILDE: Que no apareció por aquí.

ROMUALDO: Esté tranquila la señora; ya me las[25] arreglaré yo como pueda. (*Mutis de Romualdo.*)

ALEJANDRO: Mientras lo de "El Tomillar" no llegue a oídos de Gervasio Quiroga, estamos a salvo. Otra cosa sería si se enterase.

(*Suena el timbre; movimiento de expectación en todos. AMALIA, como acostumbra en estos casos,[26] por la derecha.*)

JORGE: (*Desde dentro.*) ¿Llamó alguien? ¿Vino alguien?

(*Mirada de inteligencia entre Alejandro y Matilde. Amalia, al reconocer la voz de su padre, hace el mutis.*)

ROMUALDO: (*Desde dentro también.*) Don Alejandro, señor.

(*En el umbral, Jorge se quita el abrigo y se lo entrega a Romualdo, que se marcha con él por la derecha.*)

JORGE: ¡Ah, Alejandro! ¿Qué te ha pasado estos días?

ALEJANDRO: ¡Bah, un catarro sin importancia! Te encuentro magnífico! ¿Qué te ha dicho el médico?

JORGE: Según él, mejoro por minutos.

MATILDE: Pues otra cara sí tienes.[27]

CECILIA: Es verdad.

MATILDE: Ya lo creo.

JORGE: (*Con una leve ilusión que casi no se atreve a expresar en voz alta.*) ¿Será posible que me cure?

CECILIA: No hables así, Jorge, te lo pido.

---

[25] **las** *translate* it.

[26] **en estos casos** *i.e. when the doorbell rings.*

[27] **otra cara sí tienes** you certainly *look* a different person.

JORGE: "Si no se repite" . . . ¿Cuántas veces hemos oído eso al hablar de otras personas? ¿Me libraré yo de que me repita a mí?

MATILDE: Apuesto doble contra sencillo.[28]

JORGE: Pues usted gana siempre. En fin . . . Amalia, ¿se fué ya?

CECILIA: No, todavía no.

JORGE: Acompáñame entonces, Alejandro. Quiero que miremos algunas cosas. (*Inicia el mutis por la derecha, pero en este instante suena el timbre otra vez.* ROMUALDO *sale por la derecha, camino de la puerta.*) Si es el señor de quien le hablé antes . . . (*Se detiene, parece dudar un segundo.*)

ROMUALDO: Dígame.

JORGE: (*Se recobra.*) Que entre claro, que entre.

ROMUALDO: Muy bien, señor. (*Furtivo cambio de miradas de Alejandro con Matilde.* AMALIA, *por la derecha. Un breve segundo de expectación. Romualdo de nuevo.*) Es el señor Montes. (*Amalia sale corriendo por la izquierda.*)

CECILIA: ¿El señorito[29] Juan?

ROMUALDO: No, no; su padre.

MATILDE: ¡Ah!

(JAVIER MONTES *entra con Amalia. Romualdo hace mutis por la izquierda.*)

JAVIER: (*Jovial y enfático como nunca.*) ¿Cómo va, Cecilia? (*A Matilde.*) A sus pies, señora. ¿Y ese convaleciente? ¡Ah, estupendo, estupendo! . . . Otro hombre, salta a la vista.[30] ¿Verdad? (*Le estrecha la mano.*)

ALEJANDRO: Eso mismo le decíamos hace dos minutos.

MATILDE: Todo el mundo te lo dice.

JAVIER: Déjame que te observe, Amalia. Más guapa cada día, sí, señor.

AMALIA: Y Juan, ¿dónde está?

[28] **doble contra sencillo** two to one.
[29] **señorito** *here* Master (*used by servants when referring to sons of the family which they serve*).
[30] **salta a la vista** that's obvious.

JAVIER: Calma, calma. Juan se ha quedado en Valnueva porque
tenía unas cosas urgentes que hacer allí, y yo he venido
en su lugar. Mal cambio, Amalia; pero hay que saber
perder.

AMALIA: Bueno; yo ya estoy arreglada. Un segundo, que coja
el abrigo y la maleta.

JAVIER: ¡Ah, esta juventud tan impaciente! . . . No tengas
prisa. Mira: así como así, he de hablar unos minutos
con tu padre y aprovecho la ocasión. ¿Nos dejas, Amalita? En seguida te llamamos.

AMALIA: (*Levemente recelosa.*) Muy bien . . . , muy bien.
(*Y hace mutis por la derecha, seguida de Alejandro y
Matilde. Cecilia va a marcharse también, pero Javier la
detiene.*)

JAVIER: ¿Tan mal le caigo, Cecilia, que no quiere usted nada
conmigo? [31]

CECILIA: Por Dios, yo supuse que . . .

JAVIER: Me daría usted una alegría si se quedase.

CECILIA: No faltaba más.

JORGE: Y siéntese, amigo Montes; le suplico . . .
(*Se sientan los tres, en efecto; Javier entre los dos.*)

JAVIER: Escuche, querido Jorge . . . ; usted me dispensará si
le hablo con la franqueza que es natural entre nosotros.

JORGE: Claro, claro.

JAVIER: Si resulta que me equivoco, usted me lo advierte y
listos.[32] ¿De acuerdo?

JORGE: De acuerdo.

JAVIER: (*Titubea.*) Je, je . . . No sé por dónde empezar . . .
Según mis informes, usted ha hecho una promesa.

JORGE: Sí.

JAVIER: ¿Y piensa cumplirla?

JORGE: Claro que sí. Para eso la he hecho.

JAVIER: ¡Oh . . . , qué caramba! [33] Es humano mudar de pare-

---

[31] **¿Tan mal le caigo, Cecilia, que no quiere usted nada conmigo?** Do
you dislike me so much, Cecilia, that you don't want to have anything to do
with me?

[32] **y listos** and that will be all right.

[33] **qué caramba** well, naturally!

cer. Aviados estaríamos [34] si cumpliésemos todo lo que prometemos . . . ¡Je, je! Me río, porque, de ser así, yo no probaría [35] el alcohol desde los veinte años. ¿Sabe usted que prometí olvidarme de que existía, si me libraba de la muerte, una noche que anduve perdido en una tormenta de nieve, por los Pirineos? Durante ocho días no probé una copa . . . Y al noveno sucumbí. ¡Ah! Se puede ser heroico un minuto, una hora; pero la vida entera es imposible. (*Transición.*) ¿Cuándo se puso usted enfermo, Jorge?

CECILIA: Hoy hace dos semanas.

JAVIER: Imagínese, quince días ya . . .

JORGE: Pues yo sigo resuelto . . . a no probar el alcohol.

JAVIER: ¡Ajá! Esto es,[36] a . . .

JORGE: A devolver "El Tomillar".

JAVIER: (*Pausa.*) ¿Usted es católico, Jorge?

JORGE: Desde hace dos semanas.

JAVIER: ¿Y se atreve a dar este escándalo, siendo católico?

JORGE: Sí, señor, y precisamente por serlo.

JAVIER: Es poco político,[37] amigo mío; poco político. ¡Hum! . . . Este tipo de conversiones no gustan nada. A la gente, lo que le apasiona, es que se termine con la querida, por ejemplo, y usted perdone, señora, mi modo de hablar, o que se reconozca al hijo ilegítimo, o que se meta uno cartujo. Pero esto de devolver fincas de regadío, maldito lo que le importa a nadie.[38] Aparte de que no se da un caso de ésos ni para muestra, palabra.[39]

JORGE: Alguien tiene que ser el primero.

JAVIER: Yo me pongo en su lugar y trato de comprenderle; pero me es difícil, porque es que . . . vemos las cosas de manera muy distinta.

JORGE: Es posible . . .

---

[34] **Aviados estaríamos** We would be in a fine mess.
[35] **no probaría** I wouldn't have touched.
[36] **Esto es** You mean (you are determined) to.
[37] **poco político** not very diplomatic.
[38] **maldito lo que le importa a nadie** nobody cares a straw about that.
[39] **no se da un caso de ésos ni para muestra, palabra** nothing at all like this has ever happened, I give you my word.

JAVIER: Sí, Jorge, sí . . . Por de pronto, yo no creo en ese
Dios severo y minucioso de usted, que es una especie
de Registrador de la Propiedad, sólo que en grande,
anotando nuestras flaquezas sin que se le escape ninguna
y aguardando a que nos presentemos a El para restregárnoslas [40] por la cara. "Tú hiciste esto, y lo otro, y lo
de más allá.[41] A fastidiarse, títere . . ." No, no. Para
mí, Dios es como un padre que paga las trampas de
sus hijos.

JORGE: Yo he hecho un daño y debo repararlo.

JAVIER: La vida entera le queda a usted para hacer bien a diestro
y siniestro. Puede usted hacer mucho más bien que el
daño que hizo y llegar al valle de Josafat [42] con un
saldo a su favor enorme. Pero ¿por qué ha de empeñarse
usted en liquidar su cuenta con quien sea, nominalmente? [43] Tanto te quité, tanto te devuelvo . . .
Déjele usted a la Providencia el papel de Cámara de
Compensación, y ya verá cómo se las arregla para in-
demnizar al perdidoso de lo de "El Tomillar". Y gene-
rosamente . . . De tal manera que, a lo mejor, hasta
un servicio presta usted a su víctima, asegurándole un
cielo como una casa [44] a cambio de un poquito de
tierra de Badajoz.

JORGE: Sí, no lo dudo, Montes, sólo que . . .

JAVIER: Ah, y le suplico . . . No es que yo sostenga la tesis
de que los pecadillos de juventud . . . , que todos los
hemos cometido, querido Jorge, han de quedar sin su
penitencia al canto. No, eso no. Yo no me opongo a
que usted cumpla la que le corresponda,[45] y menos a
que se arrepienta. Pero no de esa manera tan antipática,
perdóneme que se lo diga, tan grandilocuente, tan
queriendo abrumarnos con su virtud. Y tampoco como

---

[40] restregárnoslas por la cara *coll.* to "rub it in."
[41] esto, lo otro, y lo de más allá this, that, and the other thing.
[42] valle de Josafat *considered to be the place of Final Judgment.*
[43] nominalmente in your own name.
[44] asegurándole un cielo como una casa assuring him of a wonderful
paradise.
[45] la que le corresponda the one (*i.e.* the penance) you may deserve.

75

si estuviéramos en la Edad Media; que ha llovido mucho [46] desde entonces, aunque no en mis fincas, por desgracia.

JORGE: Le estimo su intención, Montes; pero me es imposible . . .

JAVIER: (*Le interrumpe.*) Una idea, Jorge: ¿por qué no le pone una tienda a ese señor, o le pasa una rentita, eh, o le fija un sueldo? . . . Y si eso le parece insuficiente, ¿por qué no se viste de Nazareno [47] el Viernes Santo? La Cofradía recorre, bajo mi presidencia, huelga decirlo, cerca de cuatro kilómetros. Yo le aseguro que, tal y como tiene el alcalde el pavimento, va usted a pagar, si lo anda descalzo, cuanto de malo haya hecho en su vida.

JORGE: Repito que agradezco mucho su interés, pero . . .

JAVIERS: . . . insiste en sus propósitos.

JORGE: Sí.

JAVIER: No me sorprende. Contaba con ello. Sólo que, siendo así, todo toma otro sesgo. Yo no sé si usted recuerda lo que hablamos la última vez. Esos rumores de si me dan o no me dan un cargo importante . . .

JORGE: Sí, sí . . .

JAVIER: Aún no se sabe nada en concreto, claro. Sin embargo, cierta persona muy bien situada—perdóneme si callo su nombre—me preguntó si yo lo aceptaría. "Pregunta ociosa—respondí yo—; me debo a mi país, y usted me manda." Ahora bien; lo de "El Tomillar" va a ser un trueno muy gordo,[48] y yo, la verdad, prefiero que no me alcance.

JORGE: ¿A usted?

JAVIER: Entiéndame, a mi hijo. En suma: a mi apellido. No

[46] **ha llovido mucho** "much water has gone under the bridge." *Here* "llover" *also retains its literal meaning.*

[47] **Nazareno** *penitent in Holy Week procession, in which members of various church societies* (cofradías) *pass through the streets behind floats depicting scenes of the Passion. The identity of the penitents is hidden by their cone-like head-dress which covers the entire face, and by a long robe, the color of which depends on their particular* "cofradía." *Some, in order to fulfil a vow, walk barefooted* (descalzos) *in the procession.*

[48] **un trueno muy gordo** a terrible scandal.

JORGE: Cecilia . . . Cecilia . . . (*La busca como un ciego a su lazarillo.*[63]) No calles . . . Necesito oírte . . . Me hace falta tu ayuda . . . Socórreme. (*Imprecisamente.*) ¿Verdad que cuento contigo?

CECILIA: No, Jorge; no puedo seguir engañándote, haciéndote ver lo que no es. No, Jorge; no estoy contigo, aunque se me parta el alma.

JORGE: (*Lejanamente.*[64]) Cecilia . . .

CECILIA: (*Emocionadísima, entre lágrimas.*) Jorge, te lo suplico; vuelve atrás. Aún no ha pasado nada irremediable. Es tiempo todavía. Piensa en tu hija, lo primero, y en lo que va a ser de nosotros, en lenguas de todos, sin medios de vida.

JORGE: Tampoco tú, Cecilia . . .

CECILIA: Estoy aterrada, Jorge. Llevo varios días con décimas [65] y con cansancio, y créeme si te digo que sería incapaz de resistir ese golpe. Por otra parte, no te imagines que te abandono ahora o que te mentí antes. Es que no medí mis fuerzas cuando te dije que sí y me dejé conmover por muchas cosas. Después, he pensado que era demasiado débil para soportar lo que me esperaba. Te quiero, sí; pero no he nacido para santa.

JORGE: Tampoco tú . . .

MATILDE: Nadie a tu lado, Jorge. ¿Y aún pretendes tener razón frente a todos? (*Larguísima pausa. Con violencia.*) Este silencio es insostenible. ¡¡Di lo que tengas que decir, por los clavos de Cristo!! [66]

JORGE: Voy a informaros de algo que ignoráis por completo. ¿Sabéis que Gervasio Quiroga está en Madrid, que va a venir a verme? ¿Qué queréis que haga? ¿Que ordene a Romualdo que cuando llame a esa puerta le diga que he salido de viaje, que no podré recibirle? Sería una

---

[63] **lazarillo** *blind man's guide. This term was popularized by the publication, in the sixteenth century, of the famous picaresque novel, "Lazarillo de Tormes," in which the protagonist (Lazarillo) serves as a guide to his blind master. However, the use of this word dates back to a more remote period.*

[64] **Lejanamente** *as if far away.*

[65] **con décimas** *feverish. "Décimas" (tenths) here meaning the degrees in (one's) temperature above 37° Centigrade.*

[66] **por los clavos de Cristo!** *for God's sake!*

gran cosa. La pobreza, el deshonor . . . Y de pronto, el indulto. Se acabó el miedo.[67] Queréis que os diga: Alejandro, ¿cómo voy a ir por otros caminos, dejándote en la calle, con lo que[68] me quieres, con lo que te quiero? Matilde: ¿Cómo se me va a ocurrir echarle a perder sus partidas de póker? Amalia: ya puedes casarte con el padrino que elijas, fíjate bien, yo mismo, y no en una iglesia escondida, sino en la Concepción,[69] o en los Jerónimos, a banderas desplegadas.[70] Cecilia: cuida tu salud. Ya sé que no has nacido para santa. Vive como lo que eres, una mujer vacilante, a ratos buena y a ratos egoísta . . . ¿Queréis que os diga todo eso, verdad? ¡Ay, si supieseis cuánto me alegraría poder decíroslo! . . . Pero no me es posible . . . La vida entera daría por vuestra felicidad; pero mi condenación, no. Cuando venga Quiroga, no me excusaré como si fuese un visitante inoportuno, sino que le haré entrar en esta casa. Porque lo que pasa es que yo, ahora, al final de vuestras conjuras, sigo donde estaba. Así, pues, ya lo sabéis. Defended vuestros derechos, tan mezquinos, tan a ras de tierra,[71] como os parezca: cara a cara o solapadamente. Yo defenderé el más sagrado de todos: mi derecho a salvarme.

CECILIA: Que no sea a ti a quien Dios castigue por esto, sino a mí.

JORGE: Gracias por tu generosidad, Cecilia; pero no me sirve de nada. La salvación, como la muerte, son problemas nuestros, de cada uno, y que no se transfieren. ¿O me imaginas en la presencia de Dios pasándote a ti la factura de mi crimen? No. "El Tomillar" lo he robado yo, y no quiero que ahora resulte que lo hemos robado entre todos.

[67] **Se acabó el miedo** No more fear.
[68] **con lo que** knowing how much.
[69] **la Concepción . . . . los Jerónimos** two fashionable churches in Madrid.
[70] (**puedes casarte**) . . . . **a banderas desplegadas** you can have an elaborate wedding.
[71] **a ras de tierra** *lit.* almost touching the ground *i.e.* so materialistic.